TOP 사고력 수학

실력도 **탑**! 재미도 **탑**!

사고력 수학의 으뜸

KB157163

A4

이 책의 목차

TOP 사고력 수학의 특징

TOP사고력 수학 A/B 시리즈 는 수학 경시 대회와 영재교육원을 대비하여 꼭 알아야 할 교과서 밖 수학 개념과 실전 문제로 학생을 최상위권으로 이끌어줄 교재입니다.

보통의 상위권 실전 문제집들이 주제별로 적은 수의 문제를 나열하는 구성이라면 TOP사고력 수학은 풍부한 개념과 여러 가지 문제해결의 원리를 캐릭터들과 함께 재미있게 살펴본 후, 유형별로 충분히 연습할 수 있도록 하였습니다. 더불어 "사고력 쑥쑥" 이라는 이름의 별도 구성을 두어 주제별 학습 이후에 다양한 문제를 해결하면서 주제별 다지기 학습을 할 수 있도록 했습니다.

수학적 "깜냥" 키우기

깜냥의 뜻 - 스스로 일을 헤아릴 수 있는 능력

TOP사고력 수학의 학습 목표는 처음 보는 문제를 만나더라도 문제가 요구하는 바를 정확하게 파악하고 스스로 해결할 수 있는 능력, 즉 수학적 깜냥을 키우는 것입니다. 그런 의미에서 이 책의 주인공은 깜냥에서 따온 깜이와 냥이라는 두 아이와 수학 선생님입니다. 다양한 실전 문제를 해결하기에 앞서서 개념과 원리를 깜이, 냥이와 선생님이 이야기하듯이 재미있게 알려 줍니다.

깜이　　　　냥이　　　　선생님

스토리텔링 수학!

스토리텔링의 본질은 이야기를 전달하는 것이 아니라 말하는 사람과 듣는 사람 간의 상호 작용을 통해서 듣는 사람이 스스로 생각하면서 이해할 수 있도록 하는 것입니다. TOP사고력 수학은 만화나 이야기를 매개체로 하여 내용을 전달하는 형식적인 스토리텔링이 아니라 아이에게 상황을 그림으로 보여주고 질문을 하고, 활동 자료로 직접 해 볼 수 있도록 하고, 게임을 하면서 연습할 수 있도록 하는 가장 효과적인 스토리텔링 수학입니다.

체계적 구성과 충분한 연습으로 사고력 쑥쑥!!

각 단원의 시작은 "생각열기"로 학생들이 공부할 주제에 대해 먼저 생각해 보도록 질문을 던지고, 다음 쪽에서 선생님의 설명이 이어집니다. 작은 주제별로도 상황에 맞는 개념과 원리를 충분히 알아본 후, "탐구 유형"에서 유형별로 문제를 다루어 보도록 하였습니다. 단원의 마지막인 "TOP 사고력" 에서는 실전 사고력 문제로 단원을 마무리하게 됩니다.

책의 뒷부분에는 각 단원의 복습 및 다지기를 할 수 있는 "사고력 쑥쑥"을 두어 충분한 연습으로 공부한 내용을 자기 것으로 만들 수 있도록 하였습니다.

예비 활동 가이드

TOP사고력 수학 A/B 시리즈는 실전에 강한 수학 공부를 목표로 하기 때문에 교구의 도움 없이 문제 해결을 하도록 하였습니다. 그 대신 주제에 따라 스스로 원리를 이해하고 문제를 해결하는데 도움이 되도록 예비 활동 가이드를 두어 필요에 따라 문제를 해결해 보기 전에 해 볼 수 있는 활동을 제시하였습니다.

저자 동영상 강의

정답지에서 글로 전달하기 힘든 교육 방법, 활용의 예, 개념의 확장 등의 동영상을 제공합니다. 동영상은 PC에서 볼 수도 있고, QR코드를 이용하여 모바일로 이용할 수도 있습니다.

TOP 사고력 수학 시리즈

- 영역별 나선형식 반복 학습 구조
- 나이, 학년 단계별 수학의 각 영역 비중 차등
- 경시, 영재교육원 등의 최신 문제 경향 반영

유아 단계와 초등 단계의 학습 목표

- K/P시리즈 - 초등 입학 전 알아야 할 필수적인 수학 개념을 익히면서 수감각, 공간지각력, 논리력, 문제 이해력 등 수학적 직관력을 키우기
- A/B시리즈 - 초등 저학년을 대상으로 수학 경시, 영재교육원의 대비와 최상위권으로 이끌기

시리즈별 학습 단계

- K시리즈 - 수학의 시작 단계(6~7세)
- P시리즈 - 초등 입학 준비 단계(7~8세)
- A시리즈 - 초등 1학년 과정을 마친 학생을 대상으로 한 심화 사고력(초1~초2)
- B시리즈 - 초등 2학년 과정을 마친 학생을 대상으로 한 심화 사고력(초2~초3)

TOP 사고력 수학의 구성

생각열기

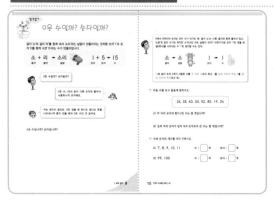

각 단원의 첫 페이지는 공부할 주제에 대한 발문의 역할을 하는 "생각열기"입니다.

재미있게 공부할 주제에 대한 호기심을 유발하고, 간단한 질문에 답하도록 합니다. 꼭 정답을 맞추기보다는 스스로 생각해 보는 것에 초점을 맞추도록 합니다.

스스로 먼저 생각하는데 방해가 되지 않도록 질문에 대한 설명은 종이를 1장 넘기면 다음 쪽에 있습니다.

원리 탐구

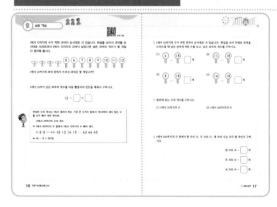

작은 주제별로 개념과 문제해결의 원리를 알아보고, 확인 문제를 해결해 봅니다.

탐구 유형

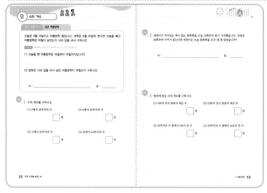

주제별로 여러 가지 유형별 문제를 공부합니다. 문제해결의 원리를 발견할 수 있도록 단계적으로 질문에 따라 문제를 해결해 보고, 연습 문제를 공부합니다.

TOP 사고력

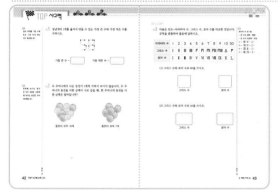

주제별 최고 난이도의 심화 문제를 공부합니다.

사고력 쑥쑥

81쪽에서 112쪽까지 32쪽에 걸쳐서 앞에서 공부한 부분을 스스로 복습하고 다지기 하도록 합니다. 80쪽에는 작은 주제의 복습을 시작하는 날짜를 적어서 한 권을 마치는 동안 공부한 시간을 한 눈에 볼 수 있도록 했습니다.

예비 활동 가이드와 활동 자료

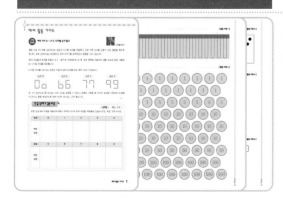

본문을 공부하기 전에 예비 활동을 소개하고 활동에 필요한 활동 자료가 들어 있습니다.

A 시리즈의 학습 내용

A1

수	1. 수와 숫자
	2. 여러 가지 수
평면	3. 닮음과 모양 나누기, 붙이기
	4. 모양 바꾸기

A2

측정	1. 비교하기
	2. 저울산과 넓이
연산	3. 연산 퍼즐
	4. 수와 식 만들기

A3

수	1. 수의 크기
	2. 조건에 맞는 수
평면	3. 모양 겹치기
	4. 모양의 개수

A4

연산	1. 지워진 연산 퍼즐
	2. 모양이 나타내는 수
입체	3. 쌓기나무의 관찰
	4. 입체 모양과 주사위

A5

규칙	1. 여러 가지 규칙
	2. 약속과 규칙
논리	3. 논리적 추론
	4. 논리 판단 퍼즐

A6

확률과 통계	1. 기준과 분류
	2. 다양한 방법의 수
문제 해결	3. 조건에 맞게 직접 해 보기
	4. 문제를 해결하는 방법

동영상 강의를 활용해요.

단원의 목차에는 동영상 이라는 표시가, 각 페이지의 윗부분에는 ▦ 모양이 있으면 동영상 강의가 있다는 뜻입니다.
동영상 강의에서는 문제를 해결하는 원리를 좀 더 쉽게 설명해 줍니다. 어려운 부분은 동영상 강의를 이용할 수 있습니다.

예비 활동을 활용해요.

단원의 목차에는 예비활동 이라는 표시가, 각 페이지의 윗부분에는 예비 활동 가이드 1쪽 표시가 있으면 문제를 풀기 전에 해 보면 좋은 활동이 있다는 뜻입니다.
예비 활동 가이드와 활동 자료를 이용하여 활동이나 게임을 먼저 해 보고 나서 책의 문제를 풀어보면 좀 더 재미있고, 쉽게 문제를 해결할 수 있습니다.

접는 선을 따라 종이를 접고 문제를 풀어요.

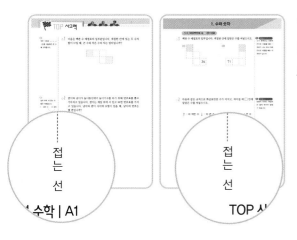

"TOP 사고력"과 "사고력 쑥쑥"에는 접는 선이 표시되어 있습니다. 접는 선 표시에 따라 종이를 접고 문제를 풀고, 어려운 경우 종이를 펼쳐서 도움글을 보고 해결해 봅니다.

TOP 사고력 수학

1. 지워진 연산 퍼즐

지워진 뛰어세기표

두 방향으로 수를 뛰어센 표의 일부가 지워져 있습니다. 색칠된 칸의 수를 보고 빈칸에 알맞은 수를 써넣으시오.

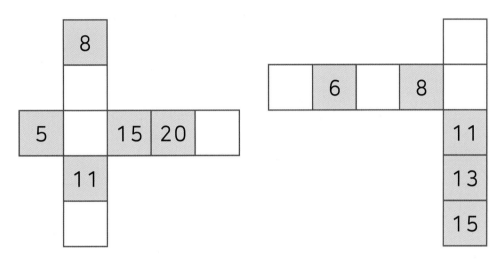

가로줄과 세로줄의 겹쳐진 칸의 수는 가로줄과 세로줄에서 모두 뛰어세기가 되어야 해!!

네 방향으로 수를 뛰어센 표의 일부만 수가 보이고 나머지는 보이지 않습니다.

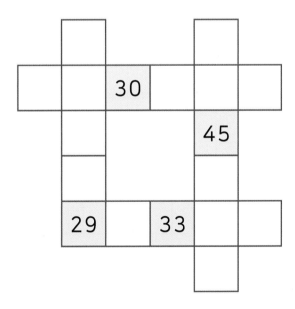

빈칸을 채워 표를 완성해 보시오.

이 퍼즐의 핵심은 뛰어세기를 이용하여 한 줄의 수를 모두 채우면 가로줄과 세로줄에서 만나는 칸의 수를 이용하여 다른 줄도 뛰어세기한 수를 구할 수 있다는 거야.

처음에 ⓒ줄의 두 수를 이용하여 2씩 뛰어세기를 하면 가로줄과 세로줄에서 만나는 칸의 수를 이용하여 ⓒ-ⓔ-ⓛ-ⓙ줄의 순서대로 뛰어세기한 수를 넣을 수 있어.

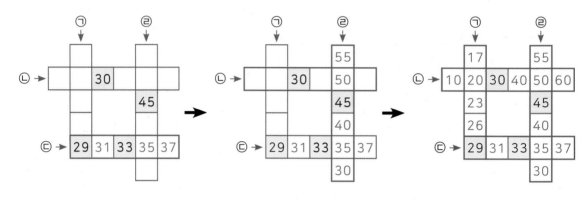

연산퍼즐을 풀 때, 이러한 순서를 생각하면 문제해결에 도움이 되는 경우가 많아!

🌱 가로줄과 세로줄마다 각각 뛰어세기를 한 표의 빈칸에 알맞은 수를 써넣으시오.

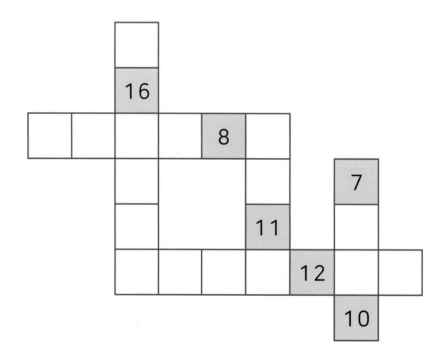

이웃한두
수의차

깜이가 이웃한 두 수의 차가 모두 다르도록 1부터 4까지의 수를 하나씩 넣어 놓았는데 냥이가 실수로 물감을 쏟아 버렸습니다.

> 깜이가 오기 전에 수를 모두 채워놔야 할 텐데…

냥이는 깜이가 만들어 놓은 표를 다시 완성하려고 합니다. 이웃한 두 수의 차가 서로 다르도록 서로 다른 방법으로 1, 2, 3, 4를 넣어 보시오.

1, 2, 3, 4 중 두 수를 골랐을 때 차로 나올 수 있는 수는 1, 2, 3이 있습니다. 차가 1, 2, 3이 나오는 식을 모두 써보시오.

차가 1이 되는 식 : 2-1=1, _____

차가 2가 되는 식 : _____

차가 3이 되는 식 : _____

앞에서 완성한 표에서 4와 1은 반드시 이웃해 있어야 합니다. 왜 그럴까요?

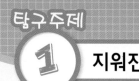
1 지워진 수들의 차

1, 2, 3, 4를 넣어 이웃한 수의 차가 모두 다르게 만들 때, 차가 1이나 2인 경우는 여러 가지 방법이 있지만 차가 3인 경우는 가장 큰 수인 4와 가장 작은 수인 1의 차밖에 없기 때문에 4와 1은 항상 이웃해 있어야 합니다.

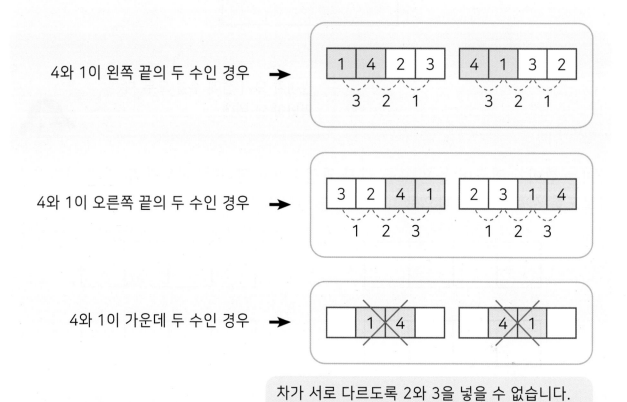

4와 1이 왼쪽 끝의 두 수인 경우 →

4와 1이 오른쪽 끝의 두 수인 경우 →

4와 1이 가운데 두 수인 경우 →

차가 서로 다르도록 2와 3을 넣을 수 없습니다.

이번에는 1부터 5까지의 수를 하나씩 넣어 이웃한 두 수의 차가 서로 다르게 하려고 합니다. 빈칸에 알맞은 수를 써넣고 ◯ 안에 이웃한 두 수의 차를 쓰시오.

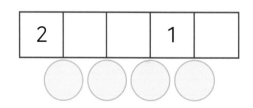

가장 작은 수인 1의 오른쪽이나 왼쪽에 반드시 가장 큰 수인 5가 이웃해 있어야 해!

이웃한 두 수의 차

빈칸에 1부터 5까지의 수를 하나씩 넣어 이웃한 두 수의 차가
모두 다르게 하려고 합니다. 빈칸에 나머지 수를 써넣으시오.

	3	
1		
	4	

• Point ▷ 반드시 이웃해야 하는 두 수를 찾아 먼저 넣어 봅니다.

(1) 1 옆에 반드시 이웃해 있어야 하는 수를 써넣으시오.

	3	
1		
	4	

(2) 이웃한 두 수의 차가 모두 다르도록 나머지 수를 알맞게 써넣으시오.

01 이웃한 두 수의 차가 모두 다른 것의 기호를 쓰시오.

가

2	5	3	1	4

다

	2		
1	4	5	3

나

	5	
4	3	2
	1	

라

2		
1	5	3
4		

연습
02 1부터 5까지의 수를 하나씩 넣어 이웃한 두 수의 차가 모두 다르게 만들 수 있는 것에 ○표 하고 ○표 한 것의 빈칸에 알맞은 수를 써넣으시오.

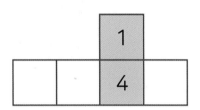
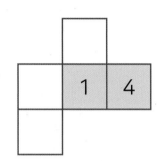

연습
03 ◯에 1부터 5까지의 수를 하나씩 넣어 이웃한 두 수의 차가 모두 다르게 만들려고 합니다. 빈 곳에 알맞은 수를 써넣으시오.

(1) 5 4

(2) 2 1

(3)  2 1

(4) 4 5

보기 와 같이 표 밖의 수는 가로, 세로의 수의 차를 나타냅니다. 표의 빈칸을 알맞게 채우시오.

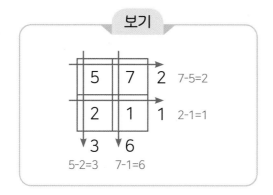

보기

5-2=3   7-1=6

	5	3
9		3
1	1	

• Point 어떠한 수와 차가 될 수 있는 수는 큰 수와 작은 수를 모두 생각해야 합니다.

(1) 가로줄을 보고 가에 들어갈 수 있는 수를 모두 쓰시오.

가	5	3
9	나	3
1	1	

(2) 세로줄을 보고 (1)에서 구한 수 중에서 가에 들어갈 수를 쓰시오.

(3) 표의 빈칸을 알맞게 채우시오.

01 표 밖의 수는 가로, 세로의 수의 차를 나타냅니다. 표의 빈칸을 알맞게 채우시오.

7		4
	9	3
5	2	

연습

02 표 밖의 수는 가로, 세로의 수의 차를 나타냅니다. 표의 빈칸을 알맞게 채우시오.

(1)

5		2
	3	3
1	4	

(2)

8		1
	5	1
2	2	

연습

03 표 밖의 수는 가로, 세로의 수의 차를 나타냅니다. 두 표의 빈칸에 모두 들어가는 수를 구하시오.

	8	2
14		7
4	1	

	6	3
9		1
6	4	

나뭇잎에 덧셈표가 그려져 있는데 덧셈표의 일부를 벌레가 갉아 먹었습니다. 이때, 갉아 먹은 부분에 있던 수를 구하려고 합니다.

+	8	7	15
60	68	67	75
㉠	59	㉡	㉢
4	12	11	19

덧셈표에서 ㉠, ㉡, ㉢과 관련된 식을 나타내었습니다. 이때, 가장 먼저 구해야 하는 칸의 기호를 쓰시오.

+	8	7	15
60	68	67	75
㉠	59	㉡	㉢
4	12	11	19

→

$8 + ㉠ = 59$

$7 + ㉠ = ㉡$

$15 + ㉠ = ㉢$

덧셈표에서 벌레가 갉아 먹은 ㉠, ㉡, ㉢을 구하시오.

㉠ = ☐   ㉡ = ☐   ㉢ = ☐

2 벌레 먹은 연산표

가로와 세로의 수 중 큰 수에서 작은 수를 뺀 뺄셈표에서 ㉮와 ㉯를 구하려고 합니다.

-	15	㉮	29
16	1	8	13
10	5	㉯	19
39	24	31	10

㉮와 ㉯ 중에서 먼저 구해야 하는 것은 무엇입니까?

16과 ㉮의 차가 8이고, 39와 ㉮의 차가 31입니다. ㉮를 구하시오.

㉮ =

㉯를 구하시오.

㉯ =

💡 뺄셈표의 빈칸에 알맞은 수를 써넣으시오.

-	17	8	
3	14	5	2
	7	2	
6	11	2	5

화살표의 방향을 따라 계산할 때, ㉠, ㉡, ㉢을 구하시오.

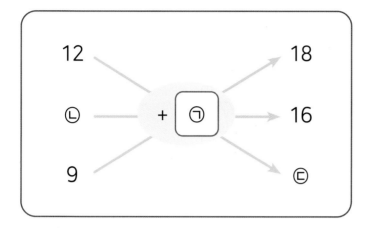

㉠ : ☐

㉡ : ☐

㉢ : ☐

• Point ▷ 먼저 구해야 하는 기호는 무엇인지 생각해 봅니다.

(1) ㉠, ㉡, ㉢ 중 먼저 구할 수 있는 기호를 쓰고 기호가 나타내는 수를 구하시오.

먼저 구할 수 있는 기호 : ☐   기호가 나타내는 수 : ☐

(2) ☐ 안에 ㉠, ㉡, ㉢이 나타내는 수를 써넣으시오.

습

01 화살표의 방향을 따라 계산할 때, 빈칸에 알맞은 수를 써넣으시오.

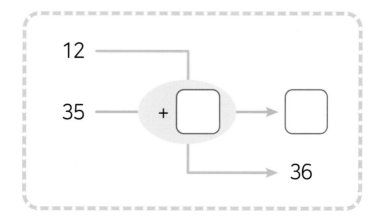

탐구주제 ② 벌레 먹은 연산표

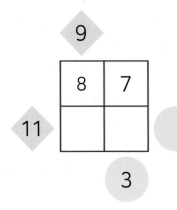

연습 02 가로와 세로 방향으로 ◆에는 두 수의 합을, ●에는 두 수의 차를 넣을 때, ●의 빈 곳에 알맞은 수를 써넣으시오.

연습 03 가로와 세로로 한 줄에 놓인 세 수의 합이 모두 같도록 하려고 합니다. 빈칸에 알맞은 수를 써넣으시오.

		8
9		1
2		6

사다리를 따라 수를 계산하면서 올바른 계산 결과가 나오도록 하려고 합니다.
□ 안에 알맞은 수를 써넣으시오.

사다리 타기 규칙

① 선택한 세로줄을 따라 아래로 내려가다 가로줄을 만나면 옆으로 따라 갑니다.
② 목적지까지 세로줄과 가로줄을 따라 내려갑니다.

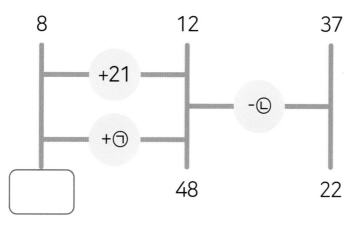

• Point   각각 사다리를 타고 내려가면서 ㉠과 ㉡의 수를 먼저 구합니다.

(1) ㉠과 ㉡이 나타내는 수를 구하시오.

㉠ : □   ㉡ : □

(2) □ 안에 알맞은 수를 써넣으시오.

01 사다리를 따라 수를 계산하면서 올바른 계산 결과가 나오도록 □ 안에 알맞은 수를 써넣으시오.

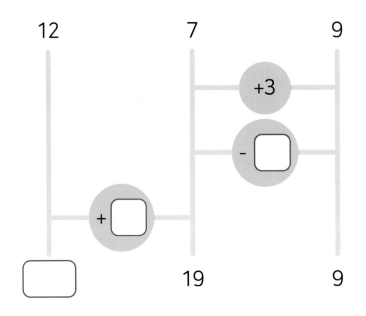

02 사다리를 따라 수를 계산하면서 올바른 계산 결과가 나오도록 □ 안에 알맞은 수를 써넣으시오.

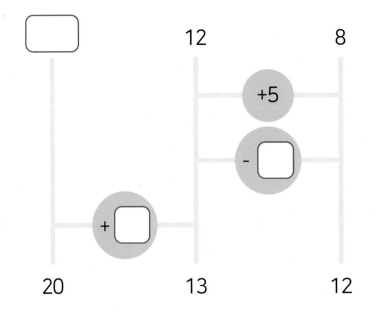

탐구 유형 2-3 벌레 먹은 셈

나뭇잎에 써놓은 세로셈의 일부를 벌레가 갉아 먹어 숫자가 보이지 않습니다. □ 안에 알맞은 숫자를 써넣으시오.

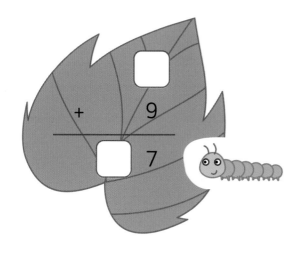

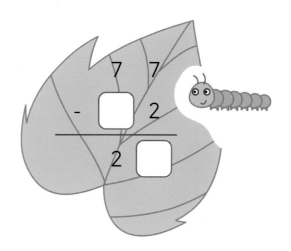

• Point 덧셈식과 뺄셈식의 관계를 생각해서 먼저 구할 수 있는 숫자를 구합니다.

01 □ 안에 알맞은 숫자를 써넣으시오.

(1)
```
    □
+   6
─────
  □ 2
```

(2)
```
  1 □
-   4
─────
    9
```

(3)
```
  □ 5
+ 2 □
─────
  6 8
```

(4)
```
  7 □
- □ 2
─────
  5 6
```

01 1, 3, 5, 7, 9를 하나씩 넣어 이웃한 두 수의 차가 모두 다르게 하려고 합니다. 빈칸에 알맞은 수를 써넣으시오.

1, 3, 5, 7, 9 중 두 수의 차로 나올 수 있는 수는 2, 4, 6, 8입니다.

	5		1

02 덧셈표를 완성할 때, 가와 나의 값을 구하시오.

색칠된 칸의 수를 먼저 구해야 가와 나의 값을 알 수 있습니다.

+		3	6
	12	10	13
		11	나
	10	가	

가 :

나 :

03 네 개의 모양이 나타내는 숫자의 크기가 ★ > ▲ > ● > ◆ > 0 일때, 각 모양이 나타내는 숫자를 구하시오.

서로 다른 모양은 서로 다른 숫자를 나타냅니다.

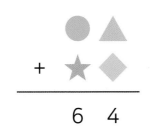

● : ☐　　　▲ : ☐　　　★ : ☐　　　◆ : ☐

TOP of TOP

04 보기 와 같이 아래층의 이웃한 두 수의 합이 위층 가운데의 수와 같은 규칙이 되도록 오른쪽 빈칸을 모두 채우시오.

31과 10으로 알 수 있는 수를 먼저 찾습니다.

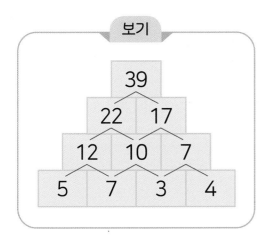

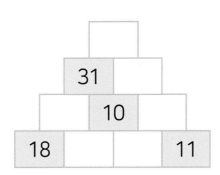

TOP 사고력 수학

2. 모양이 나타내는 수

생각열기	동영상 **아이스크림 묶음 상품**
탐구주제	**1. 모양이 나타내는 수의 합** 　**1-1. 덧셈 매트릭스** / 표 안의 모양이 나타내는 수 　**1-2. 모양 묶어서 수 찾기** / 표 안의 모양 묶어서 수 찾기 　**1-3. 모양이 나타내는 수** / 식의 모양 묶어서 수 찾기 **2. 모양만으로 이루어진 식** 　**2-1. 주어진 모양과 수** / 예상하여 수 찾기 　**2-2. 모양의 크기 비교** / 모양이 나타내는 수의 크기 비교
TOP 사고력	

아이스크림 묶음 상품

묶음 상품의 가격

어느 아이스크림 가게에서는 다음과 같이 두 개를 묶어서 사면 하나씩 사는 것보다 200원을 할인해서 팔고, 세 개를 묶어서 사면 하나씩 사는 것보다 400원을 할인해서 팔고 있습니다.

800원

900원

1400원

① 키위맛 아이스크림 2개

② 키위맛 + 수박맛 아이스크림

③ 키위맛 + 수박맛 +딸기맛 아이스크림

다른 묶음의 가격은 어떻게 알 수 있을까?

일단 할인되기 전 묶음의 가격을 알면 하나씩 살 때의 가격도 알 수 있을 것 같은데?

①, ②, ③에서 할인되기 전 가격은 얼마인지 구하시오.

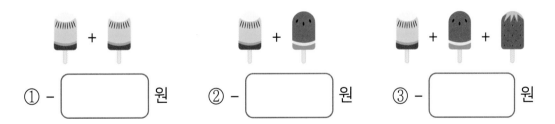

① − [   ] 원   ② − [   ] 원   ③ − [   ] 원

아이스크림을 하나씩 샀을 때의 가격을 구하시오.

[   ] 원   [   ] 원   [   ] 원

할인 되기 전의 가격은 개수에 따라 200원 또는 400원이 비싸져서 다음과 같아.

키위맛 아이스크림 1개의 가격을 먼저 구하면 다른 아이스크림의 가격도 쉽게 구할 수 있어.

① 의 가격이 1000원이므로 의 가격은 1000원의 절반인 500원

② 의 가격이 1100원이므로 의 가격은 1100-500=600(원)

③ 의 가격이 1800원이므로 의 가격은 1800-500-600=700(원)

🌱 어느 문구점에서 파는 학용품의 가격을 나타낸 것입니다. 이때, 연필, 풀, 가위를 1개 살 때의 가격을 각각 구하시오.

600원   800원   1000원

[   ]원   [   ]원   [   ]원

탐구주제 1  **모양이 나타내는 수의 합**

표 밖의 수는 가로, 세로에 있는 주머니에 들어있는 구슬이 모두 몇 개인지를 나타 냅니다. 같은 색 주머니에 들어 있는 구슬의 개수는 같습니다. 이때, 각각의 주머니 에 들어있는 구슬의 개수를 구하려고 합니다.

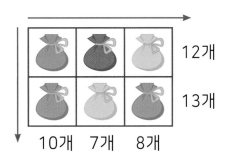

에 들어있는 구슬은 몇 개입니까?

 : ☐ 개

 세로줄을 보면 파란색 주머니 2개에 모두 몇 개의 구슬이 있는지 알 수 있어.

에 들어있는 구슬의 개수를 구하시오.

 : ☐ 개

에 들어있는 구슬의 개수를 구하시오.

: ☐ 개

💡 주머니에 구슬을 다시 넣고 표로 나타내었습니다. 각각의 주머니에 들어있는 구슬의 개수를 구하시오.

 : ☐ 개

 : ☐ 개

 : ☐ 개

같은 색 주머니에는 같은 개수의 구슬이 들어 있습니다. 아래 설명을 보고 각각의 주머니에 들어있는 구슬의 개수를 알아보려고 합니다.

①

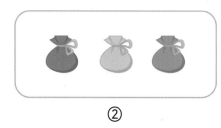

②

③

①의 두 주머니에 들어있는 구슬은 모두 11개입니다.

②의 세 주머니에 들어있는 구슬은 모두 16개입니다.

③의 파란색 주머니는 빨간색 주머니보다 구슬 2개가 더 많습니다.

①과 ②에서 파란색 주머니에 들어 있는 구슬은 몇 개입니까?   : 개

③에서 빨간색 주머니에 들어 있는 구슬은 몇 개입니까?   : 개

①에서 노란색 주머니에 들어 있는 구슬은 몇 개입니까?   : 개

💡 주머니에 다시 구슬을 넣고 주머니에 들어있는 구슬의 개수로 식을 만들었습니다. 식을 보고 각각의 주머니에 들어있는 구슬의 개수를 구하시오.

 : [   ] 개    : [   ] 개    : [   ] 개

탐구 유형 1-1   덧셈 매트릭스

표 밖의 수는 가로, 세로에 있는 모양이 나타내는 수의 합을 나타냅니다. 서로 다른 모양은 서로 다른 수를 나타낼 때, 각각의 모양이 나타내는 수를 구하시오.

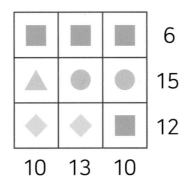

• Point ▷ 모두 같은 모양으로만 되어 있는 한 줄에서 알 수 있는 모양의 수를 먼저 구합니다.

(1) 표에서 가장 먼저 알 수 있는 모양에 ○표를 하고 모양이 나타내는 수를 구하시오.

모양이 나타내는 수 : ☐

(2) 각각의 모양이 나타내는 수를 구하시오.

 : ☐   ● : ☐   ▲ : ☐   ◆ : ☐

01 표 밖의 수는 가로, 세로에 있는 과일이 나타내는 수의 합을 나타냅니다. 서로 다른 과일은 서로 다른 수를 나타낼 때 가장 큰 수를 나타내는 과일에 ○표 하시오.

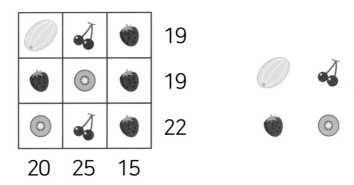

연습 02 표 밖의 수는 가로, 세로에 있는 공이 나타내는 수의 합을 나타냅니다. 서로 다른 공은 서로 다른 수를 나타낼 때, □ 안에 알맞은 수를 써넣으시오.

			11
			20
			24

□ □ 20

연습 03 표 밖의 수는 가로, 세로에 있는 막대 사탕이 나타내는 수의 합을 나타냅니다. 서로 다른 색의 막대 사탕은 서로 다른 수를 나타낼 때 색칠된 빈칸에 들어가야 하는 막대 사탕의 기호를 쓰시오.

			19
			27
			13
30	15	14	

가　　나　　다　　라

표 밖의 수는 가로, 세로에 있는 모양이 나타내는 수의 합을 나타냅니다. 서로 다른 모양은 서로 다른 수를 나타낼 때, 각각의 모양이 나타내는 수를 구하시오.

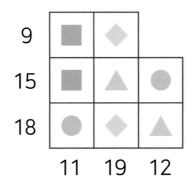

• Point ▶ 같은 두 모양을 묶어 하나의 수로 바꿀 수 있습니다.

(1) ● + ◆ + ▲ = 18 에서 ◆ 이 나타내는 수를 구하시오.　　◆ : ☐

(2) ▲ 이 나타내는 수를 구하시오.　　▲ : ☐

(3)표에서 나머지 모양이 나타내는 수를 구하시오.

■ : ☐　　　　● : ☐

01 표 밖의 수는 가로, 세로에 있는 칸이 나타내는 수의 합을 나타냅니다. 서로 다른 색의 칸은 서로 다른 수를 나타낼 때 색칠된 빈칸에 모두 알맞은 수를 써넣으시오.

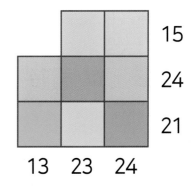

| 탐구 유형 1-3 | **모양이 나타내는 수** |

서로 다른 모양은 서로 다른 수를 나타냅니다. 식에서 각각의 모양이 나타내는 수를 구하시오.

$$\triangle + \diamond = 15 \qquad \triangle + \diamond + \bigcirc = 20$$

$$\blacksquare + \blacksquare + \bigcirc = 25 \qquad \blacksquare + \triangle = 22$$

• Point ▶ 모양을 묶어서 하나의 수로 바꾸어 생각합니다.

(1) $\triangle + \diamond + \bigcirc = 20$ 에서 $\bigcirc$ 의 값을 구하시오. $\bigcirc = \boxed{}$

(2) $\blacksquare + \blacksquare + \bigcirc = 25$ 에서 $\blacksquare$ 의 값을 구하시오. $\blacksquare = \boxed{}$

(3) 나머지 모양이 나타내는 값을 구하시오.

$\triangle = \boxed{}$ $\diamond = \boxed{}$

연습

01 서로 다른 동물은 서로 다른 수를 나타냅니다. □ 안에 각 동물이 나타내는 수를 쓰시오.

| 🐷 + 🦌 = 14 | 🐷 + 🦌 + 🐵 = 20 | 🐵 + 🐷 = 9 |

🐷 = $\boxed{}$ 🦌 = $\boxed{}$ 🐵 = $\boxed{}$

02 어느 분식점에서의 음식 가격입니다. 떡볶이 한 접시의 가격을 써넣으시오.

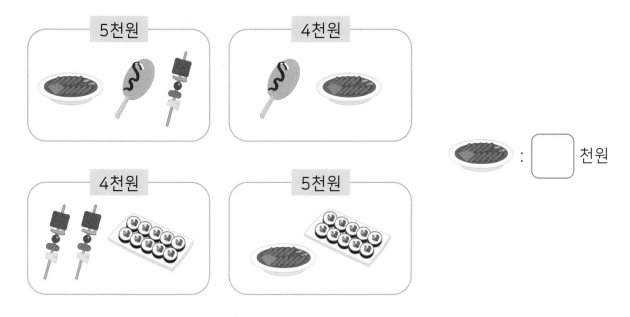

: ☐ 천원

03 서로 다른 모양은 서로 다른 수를 나타냅니다. ☐ 안에 알맞은 수를 써넣으시오.

◆ + ■ = 16   ◆ + ■ + ▲ = 26

▲ + ■ = 13   ◆ - ▲ = ☐

카드 앞면에는 1, 2, 3, 4 중 하나의 숫자가 쓰여 있고 뒷면에는 숫자마다 다른 동물이 그려져 있습니다. 이때, 각각의 동물이 나타내는 숫자를 알아보려고 합니다.

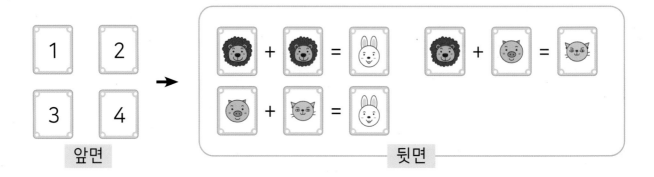

🦁 + 🦁 = 🐰를 만족할때, 🦁와 🐰카드가 나타내는 숫자는 2가지 경우가 있습니다. □ 안에 알맞은 숫자를 써넣으시오.

① 🦁 가 1일 때, 🐰 가 [ ] 인 경우

② 🦁 가 2일 때, 🐰 가 [ ] 인 경우

🦁 + 🐷 = 🐱 도 같이 만족할때 카드 뒷면의 숫자는 두 가지 경우가 있습니다. 두 가지 경우에 카드 뒷면이 나타내는 숫자를 쓰시오.

🐷 + 🐱 = 🐰도 만족하도록 각 카드의 뒷면이 나타내는 숫자를 쓰시오.

이번에는 앞면이 0, 2, 4, 8인 숫자 카드의 뒷면에 동물이 그려져 있습니다. 각각의 동물이 나타내는 숫자를 구하려고 합니다.

0   2

4   8

→

🐺 + 🐵 = 🐺   🦌 + 🦌 = 🐻

🐻 + 🐻 = 🐺

🐺 + 🐵 = 🐺 를 만족할 때, 🐵카드의 숫자는 🐺 카드의 숫자와 관계없이 바로 알 수 있습니다. 🐵 카드가 나타내는 숫자는 무엇입니까?

🐺에 🐵의 숫자를 더했는데도 더하기 전 숫자가 그대로 나와!

🦌 + 🦌 = 🐻 에서 🐻과 🦌카드가 나타내는 숫자는 2가지 경우가 있습니다. □안에 알맞은 숫자를 써넣으시오.

🦌 = ☐   🦌 = ☐
🐻 = ☐ 인 경우와   🐻 = ☐ 인 경우

🐻 + 🐻 = 🐺도 만족하도록 각 카드의 뒷면이 나타내는 숫자를 쓰시오.

🐵 : ☐   🦌 : ☐   🐻 : ☐   🐺 : ☐

0부터 4까지의 수 중에서 서로 다른 수를 하나씩 모양으로 나타내었습니다. 이때, 사용하지 않은 수를 구하시오.

$$▲ + ▲ = ■ \qquad ● - ◆ = ●$$

$$▲ + ■ = ● + ●$$

• Point 모양이 나타내는 수가 여러 가지 경우일 때는 각각 다른 조건에도 맞는지 따져 봅니다.

(1) ● - ◆ = ● 에서 ◆ 이 나타내는 수를 쓰시오.　　　◆ = ☐

(2) ▲ + ▲ = ■ 에서 ▲ 과 ■ 의 수가 될 수 있는 두 가지 경우를 모두 쓰시오.

▲ = ☐ , ■ = ☐ 인 경우와

▲ = ☐ , ■ = ☐ 인 경우

(3) ▲ + ■ = ● + ● 에서 ▲ , ■ , ● 이 나타내는 수를 각각 구하고 사용하지 않은 수를 구하시오.

▲ = ☐　　■ = ☐　　● = ☐　　　사용하지 않은 수 : ☐

1 다음 숫자 카드의 수들을 모양으로 나타내었습니다. 서로 다른 모양은 다른 수를 나타낼 때, 모양이 나타내는 수를 구하시오.

| 1 | 2 | 3 | 4 |

● + ● = ▲   ▲ + ▲ = ■

● + ◆ = ■

● = ☐   ◆ = ☐   ▲ = ☐   ■ = ☐

2 앞면이 0, 2, 4, 6인 카드 뒷면의 색이 서로 다릅니다. 뒷면의 카드가 나타내는 수를 구하시오.

| 0 | 2 | 4 | 6 |

☐ = ☐   ☐ = ☐   ☐ = ☐   ☐ = ☐

② 모양만으로 이루어진 식

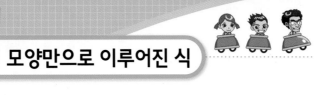

탐구 유형 2-2 **모양의 크기 비교**

서로 다른 숫자를 나타내는 4장의 모양 카드 중에서 2장을 뽑아 두 자리 수를 만들어서 수의 크기를 비교했습니다. 이때, 2장으로 만들 수 있는 가장 큰 두 자리 수의 모양을 그리시오.

• Point 십의 자리의 모양이 다를 때는 일의 자리의 모양은 따로 비교하지 않아도 됩니다.

(1) 수의 크기를 비교하여 ○ 안에 > 또는 <를 써넣으시오.

   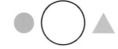   

(2) 모양이 나타내는 수의 크기 순서대로 □ 안에 알맞은 모양을 그려 넣으시오.

(3) 2장으로 만들 수 있는 가장 큰 두 자리 수의 모양을 그리시오.

가장 큰 두 자리 수 :

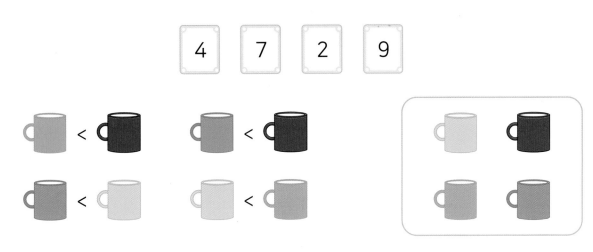

01 컵 안에 다음 숫자 카드가 한 장씩 들어 있습니다. 컵 안의 숫자 카드의 크기를 비교한 것을 보고 7이 쓰인 숫자 카드가 들어 있는 컵에 ○표 하시오.

| 4 | 7 | 2 | 9 |

02 곤충들이 서로 다른 숫자를 나타내고 있습니다. 식을 보고 가장 작은 숫자를 나타내는 곤충에 ○표 하시오.

TOP 사고력

🔴 가운데 묶음에서 토끼와
원숭이 인형을 합한 값을
알 수 있습니다.

01 어느 인형 가게에서 다음과 같이 인형을 묶어서 팝니다. □ 안에
인형의 가격을 써넣으시오.

🔴 가로나 세로에서 같은 모
양 4개가 있는 줄을 찾아
서 모양 하나의 값을 구
합니다.

02 같은 모양은 같은 수를, 다른 모양은 다른 수를 나타내고 표 밖의
수는 가로, 세로의 모양이 나타내는 수의 합을 나타냅니다. 이때,
◆과 ■이 나타내는 수를 구하시오.

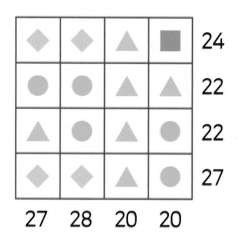

접
는

선

03 서로 다른 색의 공은 서로 다른 숫자를 나타냅니다. 공 두 개로 두 자리 수를 만들어서 수의 크기를 비교한 것을 보고 가장 큰 숫자를 나타내는 공에 ○표 하시오.

십의 자리의 공의 크기를 먼저 비교하고 같으면 일의 자리의 공의 크기를 비교합니다.

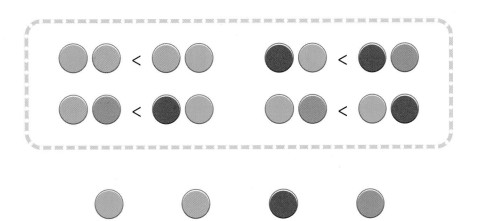

TOP of TOP

04 사탕은 1부터 9까지의 수 중 하나를 나타내고 사탕의 색이 같으면 같은 수를, 다르면 다른 수를 나타냅니다. 각각의 사탕이 나타내는 수를 구하시오.

연두색 사탕을 세 번 더한 값이 10보다 작아야 합니다.

TOP 사고력 수학

3. 쌓기나무의 관찰

생각열기

동영상

못이 통과한 쌓기나무

탐구주제

1. 쌓기나무의 개수

1-1. 보이지 않는 쌓기나무 / 보이지 않는 쌓기나무의 개수

1-2. 1층의 모양과 개수 / 1층의 모양과 개수의 관찰

2. 붙여 놓은 쌓기나무

2-1. 풀을 바른 면 / 풀을 바른 면의 개수

동영상

2-2. 겉면이 색칠된 쌓기나무 / 색칠된 면의 개수

3. 잘라낸 나무 도막의 개수

3-1. 같은 모양으로 자르기 / 똑같이 잘라낸 쌓기나무의 개수

TOP 사고력

못이 통과한 쌍기나무

못이 통과한
쌍기나무

가와 나 쌍기나무에 각각 쌍기나무의 반대편 끝까지 못 2개를 박아 놓았습니다.

가 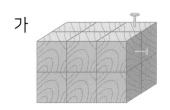   나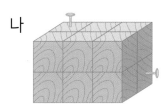

가와 나 모양에서 못이 지나간 쌍기나무는 몇 개일지 개수를 각각 세어 보시오. 어느 쪽이 못이 지나간 쌍기나무가 더 많습니까?

나 쌍기나무는 못 2개가 모두 지나가는 쌍기나무가 있어.

가 쌍기나무 : ☐ 개

나 쌍기나무 : ☐ 개

오른쪽은 1층과 2층에 놓인 쌍기나무 모양을 ☐ 모양으로 그려놓은 것입니다. 1층과 2층에서 못이 통과한 쌍기나무가 있는 칸에 모두 ○표를 해 보시오.

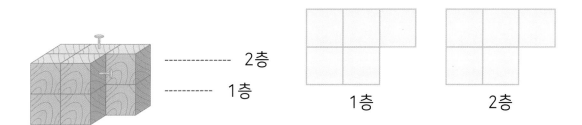

반대로 1층과 2층의 ○표한 위치를 보고 못이 어느 곳에 박혀 있는지 알 수 있습니까? 다음 1층과 2층의 ○표를 보고 못 2개를 어떻게 박아야 할지 생각해 보시오.

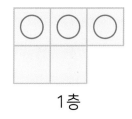

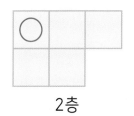

1층이나 2층에서 한 줄에 모두 ○표가 있으면 앞뒤나 오른쪽왼쪽으로 못을 박은 위치를 생각하고, 한 칸만 ○표가 있으면 위아래로 못을 박은 위치를 찾아야 해.

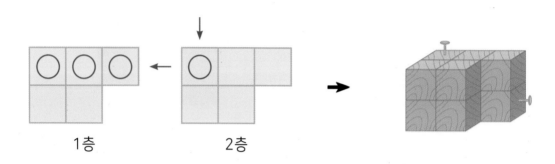

1층   2층

화살표 방향을 생각하면 위와 같이 두 개의 못의 위치를 찾을 수 있어.

🌱 각각 못 2개를 박아서 1층과 2층의 위치에 못이 지나가도록 하려고 합니다. 못을 박아야 하는 면을 색칠하시오. 단, 못은 앞에서 뒤로, 오른쪽에서 왼쪽으로, 위에서 아래로 박습니다.

(1)   (2)

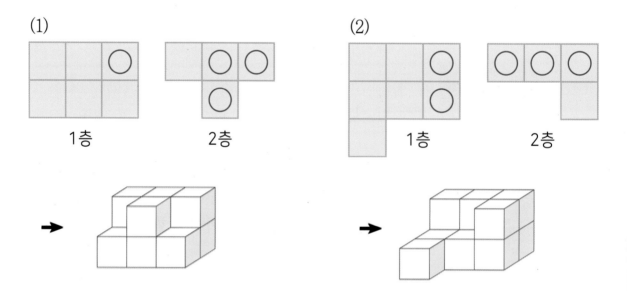

그림에서 쌓기나무가 몇 개 사용되었는지 세어 보려고 합니다.

하나씩 세려니까 보이지 않는 쌓기나무가 있어서 세기가 어렵겠는데?

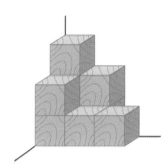

층마다 개수를 따로 세어서 더하면 어떨까?

1층에 쌓인 쌓기나무의 모양을 □으로 나타냈습니다. 2층과 3층의 모양을 □으로 그리시오.

1층의 모양	2층의 모양	3층의 모양
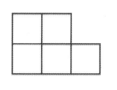		

➡ 사용한 쌓기나무의 개수 : [5] + [ ] + [ ] = [ ] (개)

💡 다음 모양을 만드는데 사용한 쌓기나무의 개수를 구하시오.

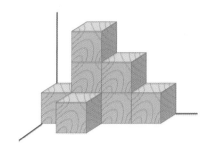

다른 방법으로 쌓기나무의 개수를 세어 보려고 합니다.

이번에도 층별로 개수를 세어 볼까?

내가 다른 방법으로 개수를 세는 방법을 생각해 봤어!

각 칸의 가장 높은 쌓기나무에 몇 층까지 쌓았는지를 개수로 쓴 것입니다. □ 안에 알맞은 개수를 쓰고 사용된 쌓기나무의 개수를 구하시오.

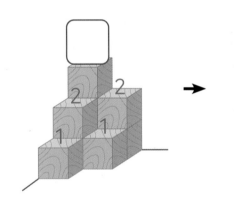

→

사용한 쌓기나무의 개수

$$1 + 1 + 2 + 2 + \boxed{} = \boxed{} \text{(개)}$$

개수를 세는 두 가지 방법 중 어느 방법을 사용해도 괜찮아.

💡 모양을 만드는데 사용한 쌓기나무의 개수를 구하시오.

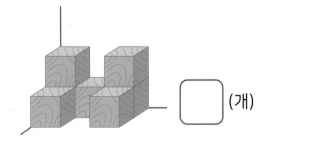

$\boxed{}$ (개)

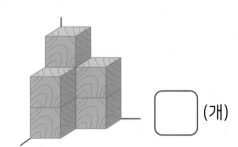

$\boxed{}$ (개)

탐구 유형 1-1   보이지 않는 쌓기나무

오른쪽 모양에서 눈으로 볼 수 없는 쌓기나무는 몇 개인지
구하시오.

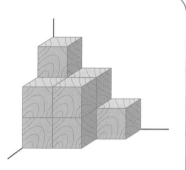

● Point ▶ 보이지 않는 쌓기나무를 세는 방법은 두 가지가 있습니다.

(1) 칸마다 보이지 않는 쌓기나무의 개수를 더해서 구할 수 있습니다. □ 안에 알맞
은 수를 써넣으시오.

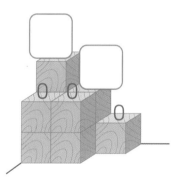

$$\boxed{} + \boxed{} = \boxed{} \text{ (개)}$$

(2) 전체 쌓기나무의 개수에서 눈에 보이는 쌓기나무의 개수를 빼서 구하시오.

$$\boxed{} - \boxed{} = \boxed{} \text{ (개)}$$

01 보이지 않는 쌓기나무가 더 많은 쪽에 ○표 하시오.

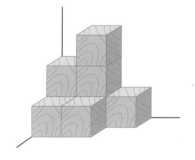   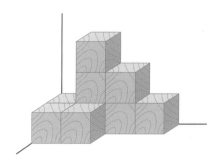

연습 02 보이지 않는 쌓기나무의 개수가 같은 것끼리 선으로 이으시오.

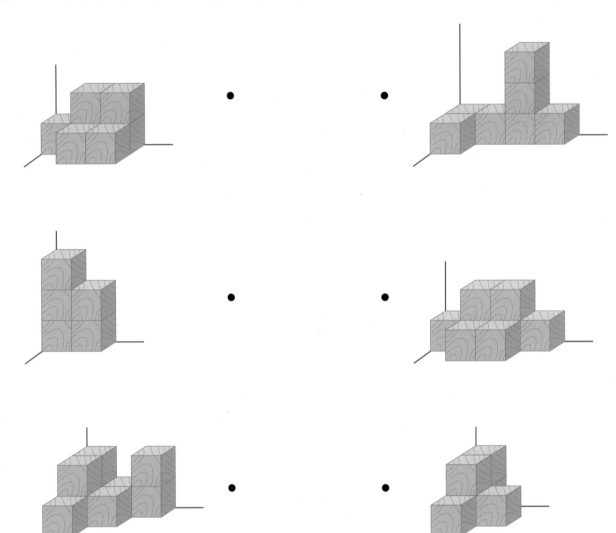

연습 03 □ 안에 보이지 않는 쌓기나무의 개수를 써넣으시오.

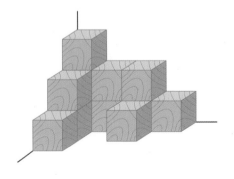

□ 개

쌓기나무의 개수를 세기 위해 왼쪽과 같이 1층의 모양을 그려서 각 칸에 쌓은 쌓기나무의 개수를 써 놓았습니다. 개수에 맞게 쌓기나무를 쌓은 것의 기호를 쓰시오.

3	1	2
2		1

1층

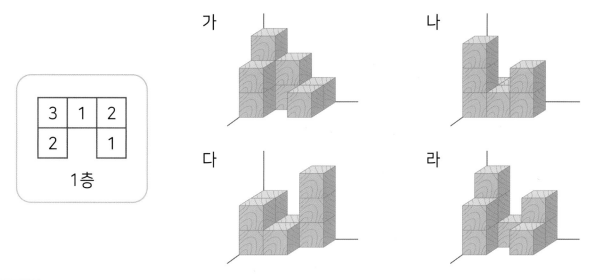

• Point ▶ 1층의 모양이 제대로 그려진 쌓기나무를 먼저 찾고 나서 개수에 맞게 쌓아져 있는지 세어 봅니다.

(1) 1층의 모양이 같은 것의 기호를 모두 쓰시오.

(2) (1)에서 구한 모양 중에 각 칸에서 쌓아 올린 쌓기나무의 개수가 올바른 것의 기호를 쓰시오.

01 왼쪽 쌓기나무를 쌓은 모양을 보고 오른쪽 1층 모양의 빈칸에 쌓은 쌓기나무의 개수를 써넣으시오.

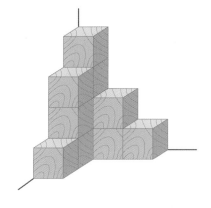

	2	1

1층

연습
02 1층의 모양과 쌓은 쌓기나무의 개수를 보고 □ 안에 쌓기나무를 쌓은 모양의 기호를 쓰시오.

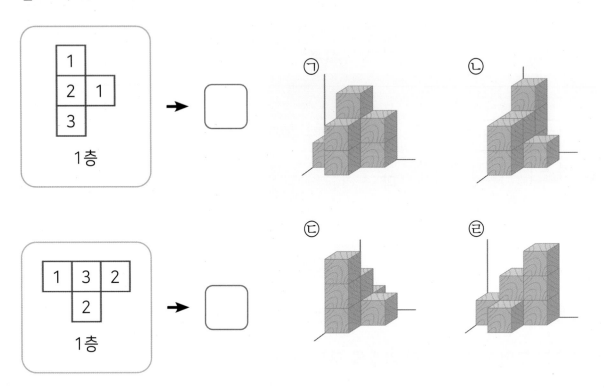

연습
03 왼쪽의 쌓기나무를 쌓아 만든 모양에서 1층 모양과 개수대로 쌓기나무를 쌓은 모양을 만들려면 쌓기나무를 몇 개 빼야 하는지 구하시오.

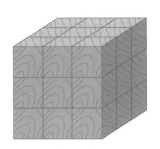

② 붙여 놓은 쌓기나무

쌓기나무 4개를 쌓아 여러 가지 모양을 만드는데 모양이 고정되도록 맞닿은 양쪽 면에 모두 풀을 발랐습니다. 이때, 모양마다 풀을 발라야 하는 면이 몇 개씩 있는지 알아보려고 합니다.

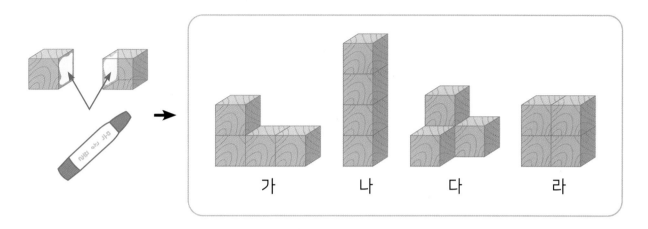

가   나   다   라

가의 경우 맞닿은 부분이 3군데 있습니다. 나머지 모양은 맞닿은 부분이 몇 개씩 있는지 구하시오.

나 : ☐ 개   다 : ☐ 개   라 : ☐ 개

가의 경우 풀은 모두 $2+2+2=6$(번) 발라야 합니다. 나머지 모양은 풀을 몇 번 발라야 하는지 구하시오.

나 : ☐ 번   다 : ☐ 번   라 : ☐ 번

💬 다음 모양을 맞닿은 양쪽 면에 모두 풀을 발라 모양이 고정되도록 하려고 합니다. 풀은 모두 몇 번 발라야 합니까?

2 붙여 놓은 쌓기나무

색칠된
쌓기나무

4개의 쌓기나무로 만든 모양의 겉면을 바닥까지 모두 파란색으로 칠했습니다. 이때, 색칠한 쌓기나무의 겉면은 모두 몇 개인지 구하려고 합니다.

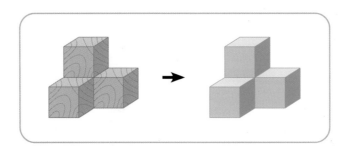

직접 색칠된 겉면의 개수를 세어서 구하시오.

다음 순서대로 색칠된 쌓기나무의 겉면의 개수를 직접 세어보지 않고 구할 수 있습니다. □ 안에 알맞은 수를 써넣으시오.

쌓기나무 한 개의 면은 6개입니다. 이때 모양을 만들기 전 쌓기나무 4개 전체의 겉면의 개수는 몇 개입니까?

$$\square + \square + \square + \square = \square \text{ (개)}$$

쌓기나무 4개의 전체 면의 개수에서 쌓기나무끼리 붙어 있어서 파란색을 칠하지 않아도 되는 면의 개수를 빼서 파란 색으로 색칠한 겉면의 개수를 구하시오.

$$\square - \square = \square \text{ (개)}$$

모양에 따라 직접 세는 방법과 직접 세어보지 않고 구하는 방법 모두 사용할 수 있어.

풀을 바른 면

쌓기나무의 맞닿은 두 면과 바닥면에 모두 풀을 발라 오른쪽 모양을 만들었습니다. 이때, 풀을 바른 쌓기나무의 면의 개수를 구하시오.

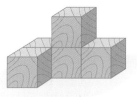

• Point ▶ 바닥면에는 풀을 한 면만 바릅니다.

(1) 쌓기나무끼리 붙어 있는 면의 개수를 구하시오.

 개

(2) 바닥에 붙어 있는 쌓기나무의 면의 개수를 구하시오.

 개

(3) 모양을 만들기 위해 풀을 바른 쌓기나무의 면의 개수를 구하시오.

1 쌓기나무에 풀을 발라 다음 모양을 만들었습니다. 맞닿은 두 면 중 한 면과 바닥면에만 풀을 바르고 바닥에는 풀을 바르지 않을 때, 풀을 바른 쌓기나무의 면의 개수를 구하시오.

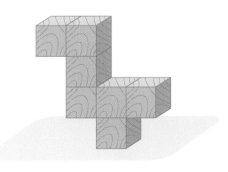

02 두 쌓기나무 사이와 바닥면에 모두 풀을 발라 모양을 만들었습니다. □ 안에 풀을 바른 쌓기나무의 면이 많은 순서대로 기호를 쓰시오.

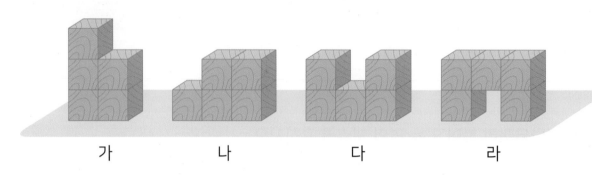

가   나   다   라

03 다음은 쌓기나무에 풀을 발라 만든 모양입니다. 맞닿은 두 면 중 한 면과 바닥면에만 풀칠을 해서 모양을 만들었습니다. 풀을 바른 쌓기나무의 면의 개수를 구하시오.

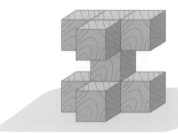

5개의 쌓기나무와 풀로 모양을 만든 다음 바닥면을 포함하여 겉면을 모두 연두색으로 칠했습니다. 색칠한 쌓기나무의 면은 모두 몇 개인지 구하시오.

• Point 　쌓기나무 5개의 면은 모두 몇 개인지 구한 다음 붙어있는 면의 개수를 빼서 구합니다.

(1) 모양을 만들기 전 쌓기나무 5개 전체의 면의 개수를 구하시오.

(2) 풀로 붙인 부분의 면의 개수는 모두 몇 개인지 구하시오.

(3) 연두색으로 칠한 면의 개수를 구하시오.

1 쌓기나무로 만든 두 모양의 겉면을 모두 노란색으로 색칠했습니다. 바닥을 제외하고 눈으로 보이는 색칠된 겉면은 모두 몇 개인지 각각 구하시오.

(1)

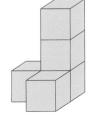

(2)

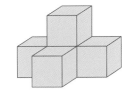

③ 잘라낸 나무 도막의 개수

탐구 유형 3-1   **같은 모양으로 자르기**

(가) 모양을 선을 따라 잘라서 (나) 모양을 최대한 많이 만들려고 합니다. 만들 수 있는 개수를 구하시오.

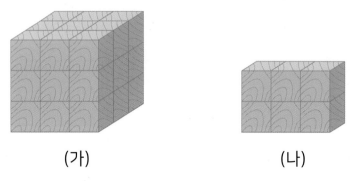

(가)   (나)

● Point ▷ 쉬운 방법으로 최대한 많이 자르고 남은 부분을 따로 생각합니다.

(1) 다음과 같이 (가) 모양을 두 부분으로 잘랐을 때 각각 (나) 모양을 몇 개 만들 수 있는지 구하시오.

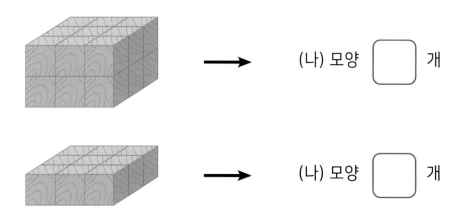

⟶   (나) 모양 ⬜ 개

⟶   (나) 모양 ⬜ 개

(2) 최대한 많이 만들 수 있는 개수는 몇 개 입니까?

01 쌓기나무를 붙여서 만든 (가) 모양을 잘라서 (나) 모양을 최대한 많이 만들려고 합니다. 자르고 나면 몇 개의 쌓기나무가 남는지 구하시오.

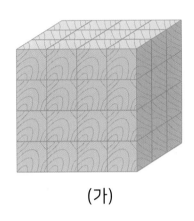

(가)

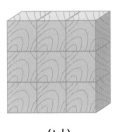

(나)

02 쌓기나무를 붙여서 왼쪽 모양을 만들었습니다. 이 모양에서 ㉠ 모양을 최대한 많이 잘라내려고 합니다. 잘라내고 나면 몇 개의 쌓기나무가 남는지 구하시오.

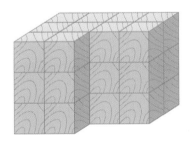

㉠

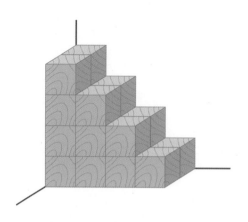

01 보이지 않는 쌓기나무의 개수를 구하시오.

모양 2개를 겹쳐 놓았다고 생각하면 보이지 않는 쌓기나무는 모두 뒷쪽에 있습니다.

02 파란색 물감 하나로 왼쪽 쌓기나무의 바닥을 포함한 겉면을 모두 색칠할 수 있습니다. 오른쪽 쌓기나무의 바닥을 표함한 겉면을 모두 색칠하려면 파란색 물감은 몇 개 필요한지 구하시오.

물감 1개보다 적은 양이 남았더라도 물감을 모두 사용하면 새 물감 1개가 더 필요합니다.

 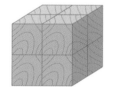

물감 하나로 칠할 수 있는 겉면

접
는

선

03 지우개에 (가) 모양과 같이 모든 면에 선을 그어 놓았습니다. 이 지우개를 (나) 지우개 모양으로 최대한 많이 만들려고 합니다. 몇 개를 만들 수 있는지 구하시오.

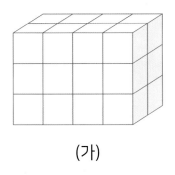

(가)

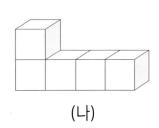

(나)

(가) 모양을 앞에서 본 ⬜ 모양에서 (나) 모양을 몇개 만들 수 있는지 생각해 봅니다.

TOP of TOP

04 1층의 모양과 각 칸에 쌓여져 있는 쌓기나무의 개수를 나타낸 것입니다. 개수대로 모양을 만들었을 때, 보이지 않는 쌓기나무는 몇 개인지 구하시오.

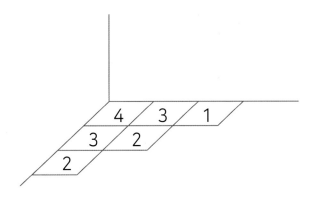

색칠한 칸의 쌓기나무 중에서 보이지 않는 쌓기나무의 개수를 찾습니다.

TOP 사고력 수학

4. 입체 모양과 주사위

뿔 모양과 기둥 모양

오늘은 냥이의 생일입니다. 냥이의 생일을 축하하기 위해 친구들과 선생님이 모여서 생일 파티를 하면서 즐거운 시간을 보냈습니다.

냥이는 생일 파티 후 집에 있던 물건들을 정리하려고 합니다. □ 안에 분류한 모양을 보고 빈 곳에 같은 모양의 물건들의 번호를 써넣으시오.

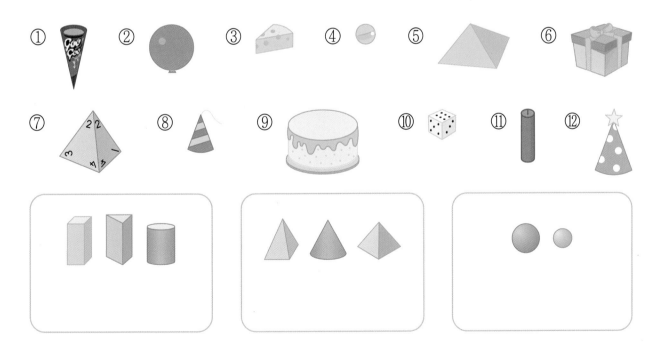

입체 모양들은 모양에 따라 기둥 모양, 뿔 모양, 공 모양으로 분류할 수 있어.

기둥 모양   뿔 모양   공 모양

의 3가지 모양에서 모양과 모양은 모두 기둥 모양이야.

🍷 기둥 모양들을 설명에 따라 2가지로 분류해서 알맞은 기호를 써넣으시오.

가   나   다   라

둥근 부분이 있는 모양 : ☐ , ☐

둥근 부분이 없는 모양 : ☐ , ☐

🍷 뿔 모양들을 설명에 따라 2가지로 분류해서 알맞은 기호를 써넣으시오.

가   나   다   라

둥근 부분이 있는 모양 : ☐ , ☐

둥근 부분이 없는 모양 : ☐ , ☐

깜이와 냥이는 입체 모양을 각자 다른 방법으로 관찰해 보려고 합니다. 왼쪽은 냥이가 구멍 뚫린 종이로 입체 모양 하나를 골라 바라본 모습입니다. 냥이가 바라본 입체모양에 ○표 하시오.

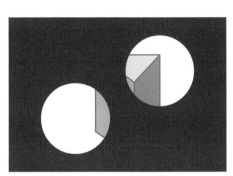

냥이

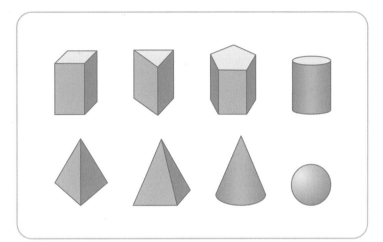

왼쪽은 깜이가 입체 모양 중에서 하나를 골라 돋보기로 관찰한 모습입니다. 깜이가고른 입체 모양을 고르고 돋보기로 확대한 부분을 ○로 그려 보시오.

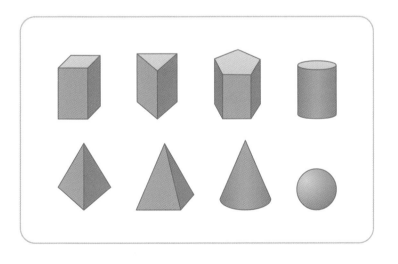

깜이

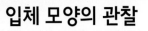

입체 모양 8개를 각각 두 조각으로 자른 것입니다. 자른 두 조각의 번호를 쓰시오. 이때, 남는 한 조각은 무엇입니까?

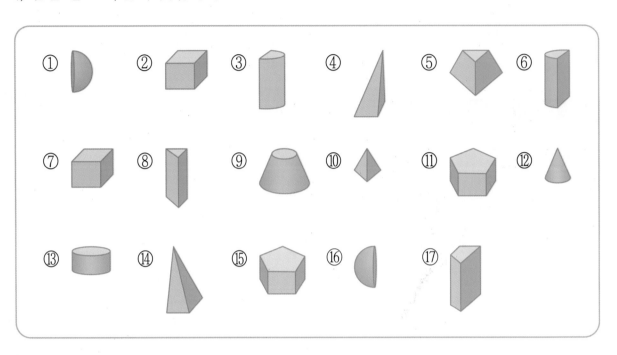

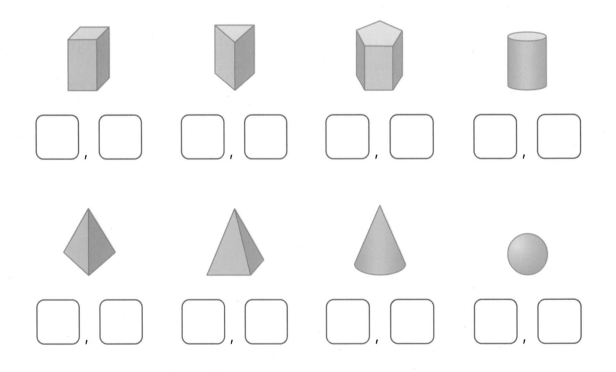

남는 조각 :

두 모양의 사진을 여러 방향에서 찍었습니다. 나올 수 없는 사진을 고르시오.

● Point 　뿔과 기둥 모양을 여러 방향에서 보았을 때 어떻게 나올지 생각해 봅니다.

① 　② 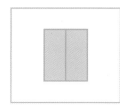　③ 　④

01 다음 모양을 여러 방향에서 보았을 때, 나올 수 있는 모양은 모두 몇 개인지 구하시오.

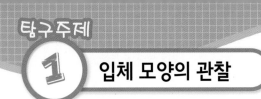

탐구주제

1 **입체 모양의 관찰**

연습

02 보기 의 입체 모양을 찍은 사진이 아닌 것을 고르시오.

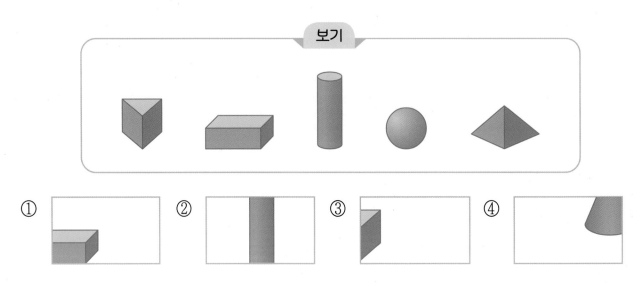

보기

① ② ③ ④

연습

03 보기 는 같은 모양을 서로 다른 방향에서 본 모습입니다. 어떤 입체 모양을 본 것인지 ○표 하시오.

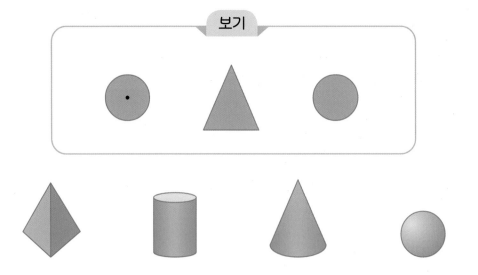

보기

입체 모양을 한 번 잘라 2개의 조각으로 나누었습니다. 이때, 자른 조각이 될 수 있는 것의 번호를 모두 쓰시오.

▶ **Point**   상자 모양의 기둥을 비스듬하게 잘랐을 때의 모양도 생각해 봅니다.

① 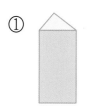   ②   ③    ④   ⑤

01   왼쪽의 입체 모양을 한 번 잘라 2개의 조각으로 나누었습니다. 나눈 두 조각을 찾아 ○표 하시오.

(1)

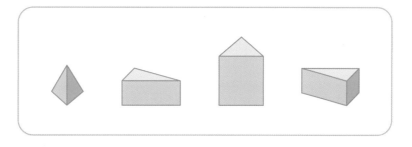

(2)

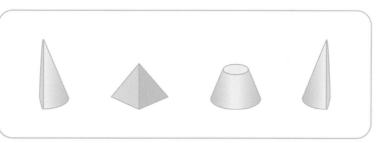

예비활동가이드 1쪽

주사위
만들기

우리는 각종 놀이를 할 때 주사위를 자주 사용합니다. 주사위의 각 면은 1에서 6까지의 수가 점의 개수로 나타나 있습니다.

주사위의 각 면에 있는 점을 주사위의 눈이라고 하고 서로 옆으로 붙어 있는 면을 이웃한 면이라고 합니다. 한 면과 서로 이웃한 면은 4개가 있습니다.

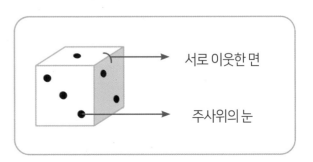

주사위의 이웃한 면끼리는 서로 다른 색을 칠하려고 합니다. 이때, 가장 적게 색을 사용하려면 몇 가지 색이 필요합니까?

주사위를 직접 보면서 생각해 봐야겠어.

주사위에서 서로 이웃하지 않은 두 면을 마주 보는 면이라고 합니다. 각 점이 있는 면에서 마주 보고 있는 면에 있는 눈을 그려 보시오. 이때 마주 보는 두 면에 있는 눈의 수의 합은 각각 얼마가 됩니까?

| 마주 보는 면 | | 마주 보는 면 | | 마주 보는 면 | |

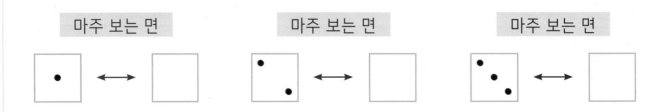

주사위는 항상 마주 보는 면의 눈이나 숫자의 합이 7이 돼. 이것을 주사위의 7점 원리하고 해!!

💡 다음과 같이 두 주사위를 붙여 놓았을 때, 바닥에 있는 두 면의 눈의 수의 합을 구하시오.

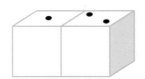

오른쪽과 같이 두 주사위를 붙여 놓았을 때, 보이지 않는 세 개의 면에 있는 눈의 수를 모두 더하면 얼마가 되는지 구하려고 합니다.

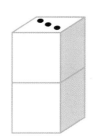

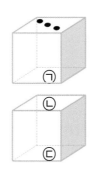

가운데 겹쳐진 두 면과 바닥에 있는 면이 보이지 않아.

㉠에 있는 눈의 수가 4인건 금방 알겠는데 ㉡과 ㉢에 있는 눈의 수는 어떻게 알까?

㉡과 ㉢은 마주보는 면이니까 두 눈의 수를 모르더라도 합이 7인걸 알 수 있지 즉, ㉠+㉡+㉢의 값은 4+7=11이 돼!!

💡 주사위 3개를 같은 수의 눈이 있는 면끼리 붙여 놓았습니다. 가장 왼쪽 면에 써 있는 주사위 눈의 수를 구하시오.

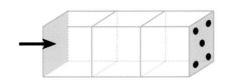

2 주사위와 눈의 수

탐구 유형 2-1　　주사위 눈의 수

다음과 같이 주사위를 놓을 때, 바닥에 있는 두 면의 눈의 수의 합이 8입니다. 이때, 색칠한 면의 주사위 눈의 수를 구하시오.

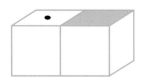

• Point 주사위의 마주보는 두 면의 합은 항상 7입니다.

(1) 주사위의 바닥에 있는 두 면을 나타낸 그림입니다. 각각 알맞은 주사위의 눈을 점으로 그리시오.

(2) 색칠한 면의 주사위 눈의 수를 구하시오.

연습

01 두 주사위를 같은 눈의 수가 있는 면끼리 붙여 놓았습니다. 바닥에 있는 면의 눈의 수가 가장 큰 것의 기호를 쓰시오.

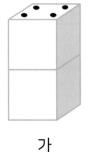

가　　　　　　　　　　나　　　　　　　　　　다

02 주사위의 바닥에 있는 면의 눈의 수의 합이 다른 것을 찾아 × 표 하시오.

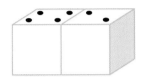 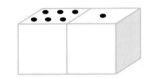 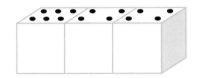

03 주사위 10개를 같은 눈의 수가 있는 면끼리 붙여 놓았습니다. 화살표가 가리키는 면의 눈의 수를 구하시오.

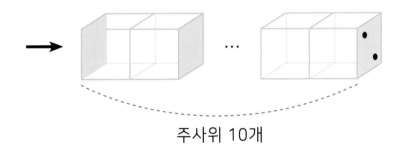

주사위 10개

탐구 유형 2-2 **주사위가 굴러간 길**

그림에서 주사위를 색칠된 면을 따라 한 번씩 굴려서 다 자리까지 왔을 때, 주사위의 윗면의 눈의 수는 얼마인지 구하시오.

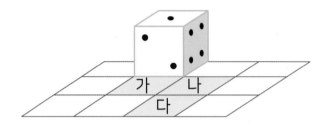

• Point 주사위가 한 번 굴러갔을 때, 윗면의 수가 어떻게 변하는지 관찰합니다.

(1) 가, 나, 다 자리로 굴릴 때마다 주사위 바닥면의 눈의 수를 구하시오.

가 : ☐   나 : ☐   다 : ☐

(2) 다 자리에 왔을 때 바닥면의 수를 보고 윗면의 눈의 수를 구하시오.

연습

01 주사위를 색칠된 면을 따라 한 번씩 굴려서 다 자리까지 왔을때, 주사위 윗면의 눈의 수는 얼마인지 구하시오.

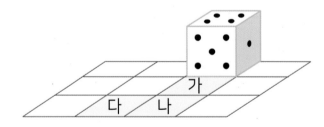

3 주사위 눈의 수의 합

주사위
눈의수의합

오른쪽처럼 주사위 2개를 붙여 놓았습니다. 이때, 바닥면을 제외하고 겉으로 보이는 주사위 눈의 합이 가장 클 때, 얼마가 되는지 알아보려고 합니다.

주사위 1개의 모든 눈의 수의 합을 구하시오.

$$1 + 2 + 3 + 4 + 5 + 6 = \boxed{}$$

주사위를 위와 아래로 분리하였습니다. 색칠된 면이 보이지 않는 면입니다.

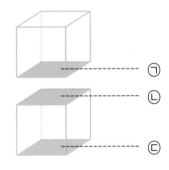

ㅡㅡㅡㅡㅡ ㉠

ㅡㅡㅡㅡㅡ ㉡

ㅡㅡㅡㅡㅡ ㉢

① ㉠면의 수를 제외하고 나머지 위쪽 주사위 면의 눈의 수의 합이 가장 클 때의 값을 구하시오.

② 주사위에서 ㉡과 ㉢의 눈의 수를 제외한 나머지 눈에 보이는 면의 눈의 수의 합을 구하시오.

①과 ②에서 눈으로 보이는 주사위 눈의 수의 합이 가장 클 때, 얼마가 되는지 구하시오.

$$\boxed{} + \boxed{} = \boxed{}$$

③ 주사위 눈의 수의 합

다음과 같이 주사위 3개를 같은 눈의 수가 있는 면끼리 붙여 놓았습니다. 바닥면을 제외한 보이는 면에 있는 눈의 수를 모두 더한 값을 구하시오.

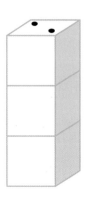

• Point ▶ 주사위의 마주보는 두 면의 합은 항상 7입니다.

(1) 3층의 주사위에서 보이는 5면의 눈의 수의 합을 구하시오.

(2) 1층과 2층 주사위에서 보이는 4면의 눈의 수의 합을 구하시오.

1층: ☐   2층: ☐

(3) 바닥면을 제외한 보이는 면에 있는 눈의 수를 모두 더한 값을 구하시오.

연습

01 주사위에서 바닥면을 제외한 면의 눈의 수의 합이 17일 때, 윗면에 보이는 눈의 수를 구하시오.

02 주사위 2개를 같은 수의 눈이 있는 면끼리 붙여 놓았습니다. 바닥면을 제외하고 보이는 면에 있는 눈의 수를 모두 더한 값을 구하시오.

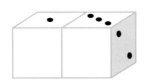

03 겉으로 보이는 눈의 수의 합이 가장 작을 때, 바닥면을 제외한 겉면의 주사위 눈의 수의 합을 구하시오.

01 <u>보기</u> 는 입체 모양 2개를 붙여 놓고 여러 방향에서 본 모습입니다. 붙여 놓은 입체 모양 2개를 찾아 ○표 하시오.

보기의 첫 번째 모양에서 두 모양 모두 동그란 부분이 있습니다.

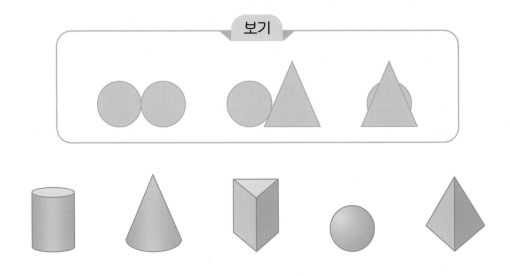

02 입체 모양 3개를 차례로 쌓은 다음 위에서 본 모양을 그렸습니다. 쌓은 입체 모양 3개의 기호를 쓰시오. 단, 크기와 관계없이 모양만 찾습니다.

직접 쌓아서 만들 수 있는 모양이어야 합니다.

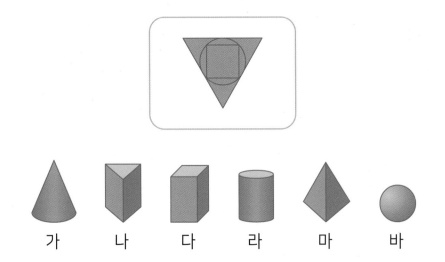

접는
선

03 왼쪽 주사위 3개를 같은 눈의 수가 있는 면끼리 붙여 놓았습니다. 색칠한 면의 눈의 수를 구하시오.

❗ 색칠한 면 반대편 끝에 있는 면의 눈의 수를 먼저 구합니다.

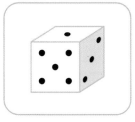

사용한 주사위

TOP of TOP

04 주사위 3개를 아래와 같이 붙여 놓았습니다. 바닥을 포함한 겉면의 주사위의 눈의 수의 합이 가장 작을 때의 눈의 수의 합을 구하시오.

❗ 붙어 있는 두 면의 주사위의 눈의 수의 합이 최대한 커야 합니다.

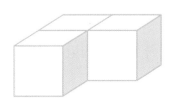

접
는
선

4. 입체 모양과 주사위 **79**

TOP
사고력 쑥쑥

학습주제를 시작할 때 학습 날짜를 기록하면서 전체 학습 진도 상황을 체크해 보세요.

A4		단원	학습 주제	학습 날짜	
연산		1. 지워진 연산 퍼즐	1-1. 지워진 수들의 차	월/	일
			1-2. 벌레 먹은 연산표	월/	일
		2. 모양이 나타내는 수	2-1. 모양이 나타내는 수의 합	월/	일
			2-2. 모양만으로 이루어진 식	월/	일
입체		3. 쌓기나무의 관찰	3-1. 쌓기나무의 개수	월/	일
			3-2. 붙여 놓은 쌓기나무	월/	일
			3-3. 잘라낸 나무 도막의 개수	월/	일
		4. 입체 모양과 주사위	4-1. 입체 모양의 관찰	월/	일
			4-2. 주사위와 눈의 수	월/	일
			4-3. 주사위 눈의 수의 합	월/	일

1. 지워진 연산 퍼즐

1-1. 지워진 수들의 차 | 01~07

01 숫자 카드 4장 중에서 2장을 골라 구한 차를 선택한 학생이 술래를 하기로 했습니다. 세 명이 고른 차 중에서 가장 불리한 사람에 ○ 표 하시오.

유형 1-1
차 1, 2, 3이 나오는 가짓 수가 모두 다릅니다.

02 이웃한 수의 차가 모두 다른 것의 기호를 쓰시오.

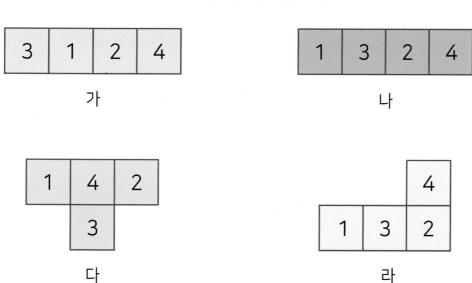

유형 1-1
차를 직접 구해 봅니다.

접는 선

TOP 사고력 쑥쑥 **81**

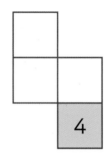

유형 1-1

4와 이웃해 있어야 하는 수를 먼저 채우고 나머지 수를 채웁니다.

03 이웃한 수의 차가 모두 다르도록 1, 2, 3, 4를 넣으려고 합니다. 빈 칸을 알맞게 채우시오.

	4

(빈 칸에 4가 들어있는 도형)

유형 1-1

1과 이웃한 두 군데 중 하나의 수가 5가 되어야 합니다.

04 이웃한 ◯ 안의 수의 차가 모두 다르도록 1, 2, 3, 4, 5를 넣으려고 합니다. 두 가지 서로 다른 방법으로 빈 곳을 알맞게 채우시오.

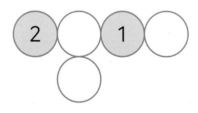

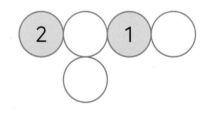

접는 선

05 이웃한 수의 차가 모두 다르도록 5, 6, 7, 8, 9를 넣으려고 합니다. 이때 색칠된 칸에 들어가는 두 수의 차를 구하시오.

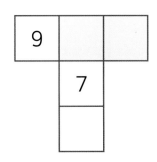

⚠️ 유형 1-1
색칠된 칸의 두 수 중 하나는 5가 되어야 합니다.

06 표 밖의 수는 가로, 세로의 수의 차를 나타냅니다. 표의 빈칸을 알맞게 채우시오.

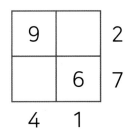

⚠️ 유형 1-2
두 수의 차가 될 수 있는 나머지 한 수가 큰 수일 때와 작은 수일 때를 생각해야 합니다.

! 유형 1-2
두 수의 차가 될 수 있는 나머지 한 수를 두 가지로 나누어 생각합니다.

07 표 밖의 수는 가로, 세로의 수의 차를 나타냅니다. 표의 빈칸을 서로 다른 두 가지 방법으로 알맞게 채우시오.

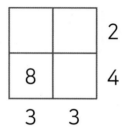 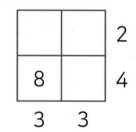

1-2. 벌레 먹은 연산표 | 08~16

! 유형 2-1
나가 나타내는 수를 뺄셈을 이용해서 먼저 구해야 합니다.

08 덧셈표에서 가, 나에 알맞은 수를 구하시오.

+	7	가
나	12	11

접
는
선

09 가로와 세로의 수 중 큰 수에서 작은 수를 뺀 뺄셈표에서 색칠된 빈칸에 알맞은 수를 써넣으시오.

-	9	2
	4	3
6	3	4

❗ 유형 2-1
9와의 차가 4이고 2와의 차가 3인 수를 찾습니다.

10 같은 색의 길을 따라 계산할 때, □ 안에 알맞은 수를 써넣으시오.

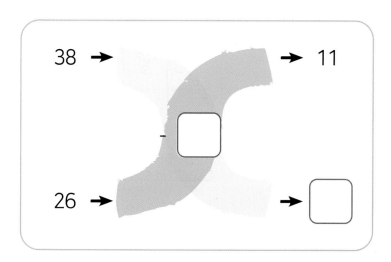

❗ 유형 2-1
두 길이 겹치는 곳에 있는 □ 안의 수를 먼저 구해야 합니다.

유형 2-1

두 수의 합을 이용하여 가로와 세로의 수를 구할 수 있습니다.

11 가로나 세로 방향으로 ▨칸에는 두 수의 합을, ▨칸에는 두 수의 차를 넣을 때, 표를 완성하시오.

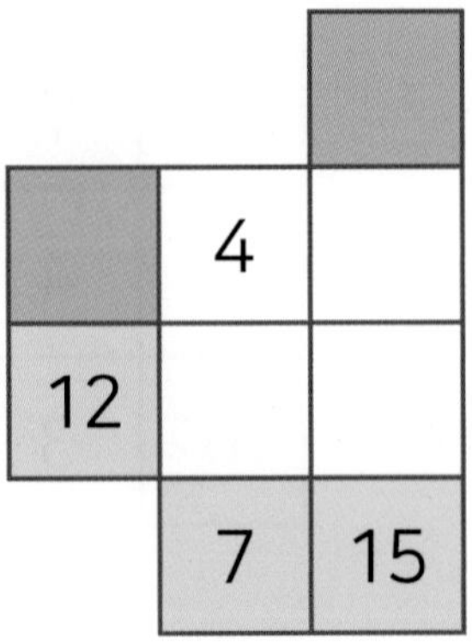

	4	
12		
	7	15

유형 2-1

가로나 세로로 한 줄에 놓인 수의 합을 먼저 구합니다.

12 가로나 세로로 한 줄에 놓인 세 수의 합이 모두 같도록 하려고 합니다. 빈칸에 알맞은 수를 써넣으시오.

	5	7
		4
9		2

접는

선

13 사다리를 따라 수를 계산하면서 올바른 계산 결과가 나오도록 □ 안에 알맞은 수를 써넣으시오.

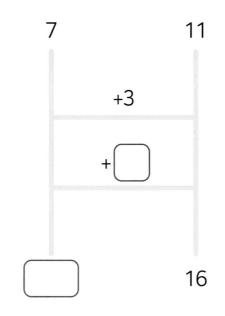

! 유형 2-2
+□를 먼저 구합니다.

14 사다리를 따라 수를 계산하면서 올바른 계산 결과가 나오도록 □ 안에 알맞은 수를 써넣으시오.

! 유형 2-2
6을 사다리로 타고 내려가면서 +□ 안에 수를 먼저 구합니다.

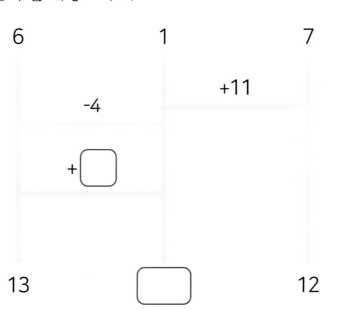

! 유형 2-3

(1)에서 9와 더한 수의 일의 자리가 7이 되는 수를 찾습니다.

15 덧셈식이 성립하도록 □ 안에 알맞은 수를 써넣으시오.

(1)

$$
\begin{array}{r}
9 \\
+ \ \boxed{} \\
\hline
\boxed{} \ 7
\end{array}
$$

(2)

$$
\begin{array}{r}
\boxed{} \ 3 \\
+ \ 3 \ \boxed{} \\
\hline
5 \ 8
\end{array}
$$

! 유형 2-3

(1) □3에서 □ 안의 십의 자리 숫자는 1이 되어야 합니다.

16 뺄셈식이 성립하도록 □ 안에 알맞은 수를 써넣으시오.

(1)

$$
\begin{array}{r}
\boxed{} \ 3 \\
- \ \boxed{} \\
\hline
8
\end{array}
$$

(2)

$$
\begin{array}{r}
8 \ \boxed{} \\
- \ \boxed{} \ 1 \\
\hline
2 \ 7
\end{array}
$$

접는 선

2-1. 모양이 나타내는 수의 합 | 01~12

01 표 밖의 수는 가로, 세로에 있는 과일이 나타내는 수의 합을 나타냅니다. 서로 다른 과일은 서로 다른 수를 나타낼 때 각 과일이 나타내는 수를 구하시오.

 유형 1-1
가로줄에서 참외의 값을 가장 먼저 구할 수 있습니다.

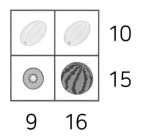

02 표 밖의 수는 가로, 세로에 있는 모양이 나타내는 수의 합을 나타냅니다. 서로 다른 모양은 서로 다른 수를 나타낼 때, 각각의 모양이 나타내는 수를 구하시오.

유형 1-1
세로줄에서 ◆의 값을 가장 먼저 구할 수 있습니다.

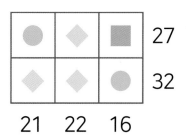

접는 선

유형 1-1
오이와 고추가 나타내는 수를 먼저 구합니다.

03 표 밖의 수는 가로, 세로에 있는 채소가 나타내는 수의 합을 나타냅니다. 서로 다른 채소는 서로 다른 수를 나타낼 때 각 채소가 나타내는 수를 구하시오.

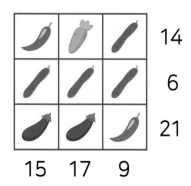

유형 1-1
●가 나타내는 수를 가장 먼저 구할 수 있습니다.

04 표 밖의 수는 가로, 세로에 있는 모양이 나타내는 수의 합을 나타냅니다. 서로 다른 모양은 서로 다른 수를 나타낼 때, □ 안에 알맞은 수를 써넣으시오.

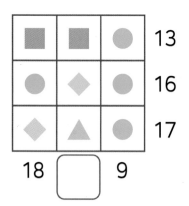

05 표 밖의 수는 가로, 세로에 있는 동물이 나타내는 수의 합을 나타 냅니다. 서로 다른 동물은 서로 다른 수를 나타낼 때 각 동물이 나 타내는 수를 구하시오.

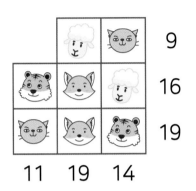

! 유형1-2
🐹 와 🐱 의 합이 11 이므로 세로 줄에서 🐑 의 값을 구할 수 있습니다.

06 표 밖의 수는 가로, 세로에 있는 모양이 나타내는 수의 합을 나타 냅니다. 서로 다른 모양은 서로 다른 수를 나타낼 때, 빈 곳에 들어 가는 모양을 그리시오.

! 유형1-2
●+▲=8을 이용하면 ▲ 의 값을 구할 수 있습니 다.

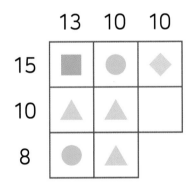

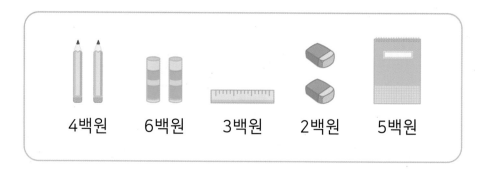

유형 1-3

연필, 풀, 지우개는 각각 2개씩 있습니다.

07 문구점에서 파는 학용품의 가격을 보고 □ 안에 알맞은 수를 써넣으시오.

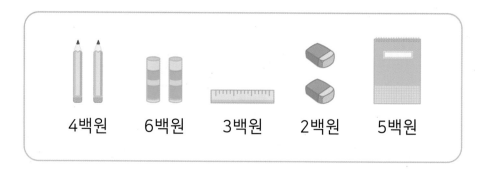

유형 1-3

먼저 ■의 값을 구합니다.

08 서로 다른 모양은 서로 다른 수를 나타냅니다. □ 안에 알맞은 수를 써넣으시오.

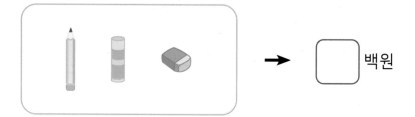

접는 선

09 서로 다른 모양은 서로 다른 수를 나타냅니다. □ 안에 알맞은 수를 써넣으시오.

유형 1-3
곰인형 한 마리가 나타내는 수를 먼저 구합니다.

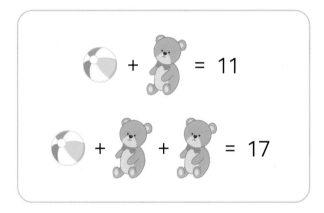

곰 = ☐   공 = ☐

10 서로 다른 모양은 서로 다른 수를 나타냅니다. □ 안에 알맞은 수를 써넣으시오.

유형 1-3
첫 번째 식과 네 번째 식을 비교합니다.

▲ + ◆ + ● = 10   ■ + ● = 11

◆ + ■ = 5   ■ + ▲ + ◆ + ● = 14

▲ = ☐   ■ = ☐   ◆ = ☐   ● = ☐

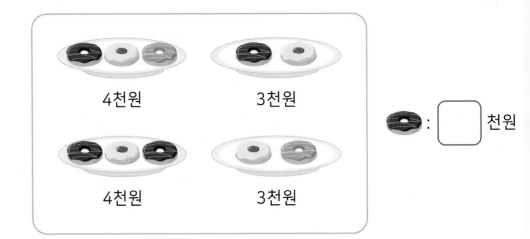

유형 1-3

두 접시를 비교하면 🍩 하나의 가격을 알 수 있습니다.

11 어느 제과점의 도너츠 가격입니다. □ 안에 🍩 하나의 가격을 써 넣으시오.

4천원   3천원

4천원   3천원

🍩 : □ 천원

유형 1-3

두 식을 이용하여 ■의 값을 먼저 구합니다.

12 서로 다른 모양은 서로 다른 수를 나타냅니다. □ 안에 알맞은 수를 써넣으시오.

▲ + ◆ = 9   ◆ + ■ + ▲ = 13

◆ + ■ = 11   ◆ - ● = 2

▲ = □   ■ = □   ◆ = □   ● = □

접는 선

13 1부터 4까지의 수 중에서 서로 다른 수를 하나씩 모양으로 나타내었습니다. 각 모양이 나타내는 수를 2가지로 구하시오.

유형 2-1

◆를 두 번 더해서 1부터 4까지의 수 중의 하나가 되어야 하므로 ◆는 1이나 2가 되어야 합니다.

▲ = ☐   ■ = ☐   ◆ = ☐   ● = ☐

▲ = ☐   ■ = ☐   ◆ = ☐   ● = ☐

14 카드의 뒷면에는 각각 0, 1, 2, 3의 서로 다른 숫자가 쓰여져 있습니다. 이때, 각 숫자가 나타내는 모양을 그리시오. 단, ● 카드의 숫자가 ▲ 카드의 숫자보다 큽니다.

유형 2-1

■+▲=▲에서 ■가 나타내는 수는 0입니다.

0 = ☐   1 = ☐

2 = ☐   3 = ☐

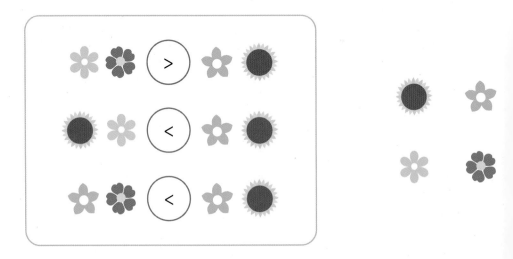

유형 2-2
뺄셈식에서 카드가 나타
내는 수의 크기를 비교할
수 있습니다.

15 다른 모양의 카드는 0이 아닌 서로 다른 한 자리 수를 나타냅니다. 식을 보고 가장 큰 수를 나타내는 카드에 ○표 하시오.

$$● - ▲ = ▲ \qquad ■ - ● = ▲$$

$$◆ + ◆ = ■$$

●　　　▲　　　◆　　　■

유형 2-2
십의 자리의 숫자가 다
른 경우 십의 자리 숫자
만 크기를 비교하면 되
고, 다를 경우 일의 자리
의 숫자를 비교합니다.

16 서로 다른 꽃은 1, 2, 3, 4 중 서로 다른 숫자를 나타냅니다. 꽃으로 두 자리 수를 만든 다음 수의 크기를 비교한 것을 보고 4를 나타내는 꽃에 ○표 하시오.

접
는
선

3. 쌓기나무의 관찰

3-1. 쌓기나무의 개수 | 01~08

01 □ 안에 모양을 만드는데 사용한 쌓기나무의 개수를 써넣으시오.

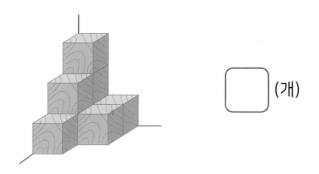

☐ (개)

! 유형 1-1
층별로 세서 더하는 방법과 칸마다 세서 더하는 방법이 있습니다.

02 모양을 만드는데 사용한 쌓기나무의 개수가 다른 기호를 쓰시오.

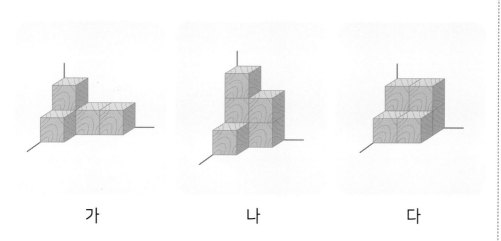

가   나   다

! 유형 1-1
안쪽의 보이지 않는 쌓기나무의 개수를 빠트리지 않도록 유의합니다.

03 왼쪽 모양에 쌓기나무를 더 쌓아 오른쪽 모양으로 만들려고 합니다. 몇 개의 쌓기나무가 더 필요한지 구하시오.

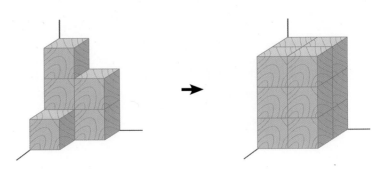

04 □ 안에 보이지 않는 쌓기나무의 개수를 쓰시오.

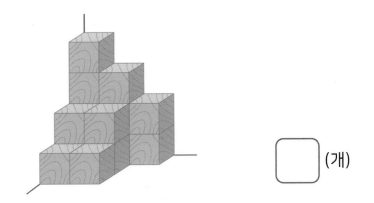

(개)

05 보이는 쌓기나무가 보이지 않는 쌓기나무보다 5개 더 많은 것의 기호를 쓰시오.

! 유형1-1
㉠과 ㉡ 모두 7개씩의 쌓기나무 쌓아서 만든 모양입니다.

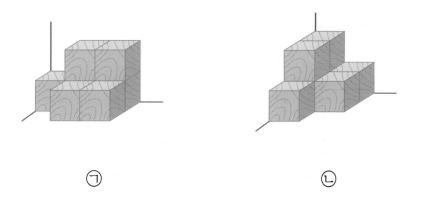

㉠   ㉡

06 쌓기나무로 쌓은 모양을 보고 오른쪽 1층 면의 색칠된 빈칸에 쌓은 쌓기나무의 개수를 써넣으시오.

! 유형1-2
뒤에 가려져 잘 보이지 않는 쌓기나무의 개수에 유의합니다.

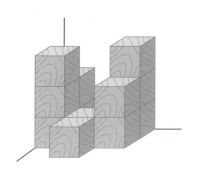

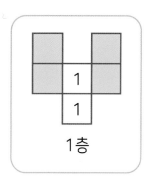

1층

유형 1-2
1층의 모양이 같은 것부
터 찾습니다.

07 1층의 모양과 면에 쌓은 쌓기나무의 개수대로 올바르게 만든 모양의 번호를 쓰시오.

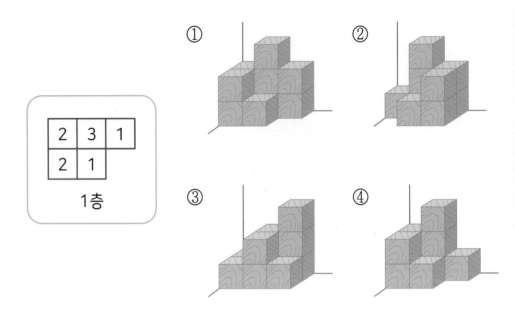

2	3	1
2	1	

1층

유형 1-2
쌓기나무 전체의 개수를
세서 비교하거나 각 칸에
서 줄어든 쌓기나무의 개
수를 세서 더합니다.

08 1층의 모양과 각 면에 쌓은 쌓기나무의 개수를 보고 모양을 만들었습니다. 이때, 쌓기나무를 빼서 오른쪽 모양을 만들려면 몇 개의 쌓기나무를 빼야 하는지 구하시오.

2	1	3
1	2	4
2		

1층

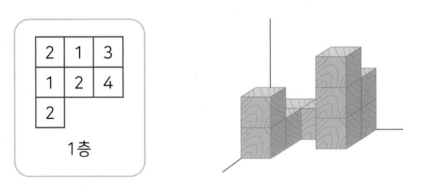

09 쌓기나무의 맞닿은 두 면에 모두 풀을 발라 모양을 만들었습니다. 이때, 풀을 바른 면의 개수를 구하시오.

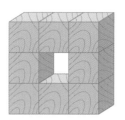

! 유형 2-1
맞닿은 면의 개수를 센 다음 두 배를 해야 합니다.

10 쌓기나무의 맞닿은 두 면과 바닥면에 모두 풀을 발라 모양을 만들었습니다. 이때, 풀을 바른 쌓기나무의 면의 개수를 구하시오.

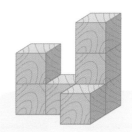

! 유형 2-1
바닥에 풀을 바른것은 생각하지 않습니다.

접는 선

TOP 사고력 쑥쑥 101

● 유형 2-1
풀을 바른 맞닿은 두 면의 개수는 모두 같습니다.

11 쌓기나무의 맞닿은 두 면과 바닥면에 모두 풀을 발라 모양을 만들었습니다. 이때, 풀을 바른 쌓기나무의 면의 개수가 가장 적은 것의 기호를 쓰시오.

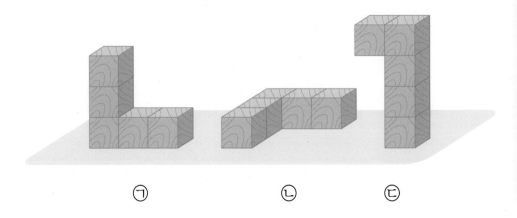

⊙   ⊙   ⊙

● 유형 2-2
모양을 만들기 전 쌓기나무 5개 전체의 면의 개수를 먼저 구합니다.

12 쌓기나무로 만든 모양의 겉면을 모두 파란색으로 색칠했습니다. 바닥을 제외하고 눈으로 보이는 색칠된 겉면은 모두 몇 개인지 구하시오.

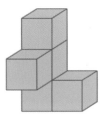

접는 선

13 바닥을 포함하여 쌓기나무의 겉면을 모두 색칠하려고 합니다. 몇 개의 겉면을 색칠해야 하는지 구하시오.

! 유형 2-2
바닥도 색칠합니다.

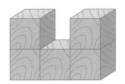

3-3. 잘라낸 나무 도막의 개수 | 14~16

14 왼쪽 쌓기나무로 만든 모양에서 오른쪽 모양을 최대한 많이 잘라 내려고 합니다. 몇 개를 잘라낼 수 있는지 구하시오.

! 유형 3-1
잘라내고 나서 남는 모양 에서 또 다시 같은 모양 을 잘라낼 수 있는지 확 인합니다.

접
는
선

유형 3-1

㉠ 모양은 세로로 자르면 각각 잘라낼 모양 두 개를 만들 수 있습니다.

15 모두 같은 모양으로 잘라내려고 합니다. 4개를 잘라낼 수 없는 모양의 기호를 쓰시오.

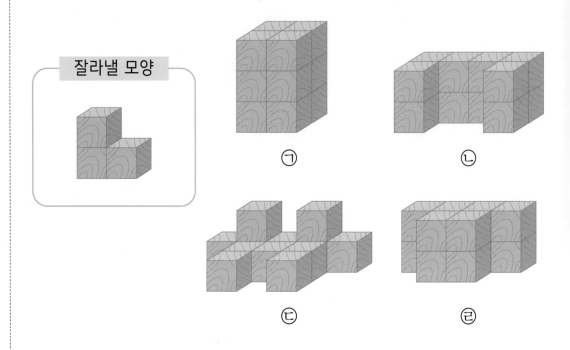

잘라낼 모양

㉠　　㉡

㉢　　㉣

유형 3-1

각 층에서 나 모양을 만들고 난 후 남은 쌓기나무의 모양을 생각해 봅니다.

16 가 모양을 나 모양으로 최대한 많이 잘라내려고 합니다. 잘라내고 나면 몇 개의 쌓기나무가 남는지 구하시오.

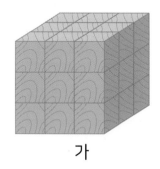

가

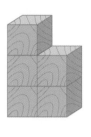

나

접는 선

4. 입체 모양과 주사위

4-1. 입체 모양의 관찰 | 01~07

01 입체 모양 중 하나를 골라 일부분을 돋보기로 확대한 모습입니다. 알맞은 입체 모양에 ◯표 하시오.

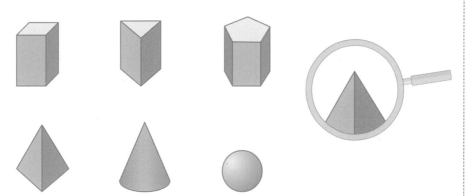

! 유형 1-1
뾰족한 부분이 있으므로
공 모양은 아닙니다.

02 여러 방향에서 바라본 입체 모양의 모습입니다. 알맞은 입체 모양의 기호를 쓰시오.

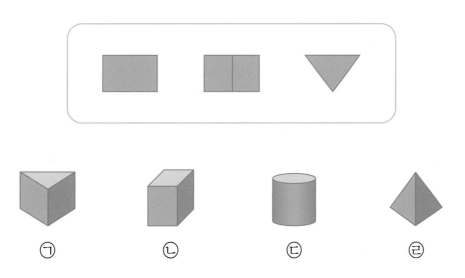

! 유형 1-1
▨ 모양은 ㉠, ㉡, ㉢에서 바라봤을 때, 모두 나올 수 있습니다.

접는선

유형 1-1

앞에서 보았을 때, 보는 위치에 따라 네모에 세로 줄의 개수가 다르게 보일 수 있습니다.

03 다음 입체 모양을 여러 방향에서 보았을 때, 나올 수 있는 모양에 모두 ○표 하시오.

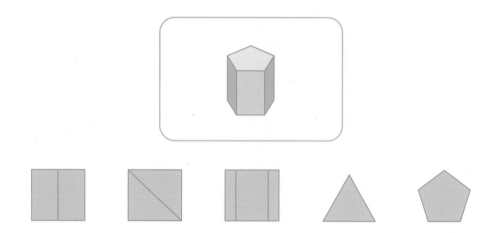

유형 1-1

전체에서 일부분의 모양과 같은 부분을 찾아야 합니다.

04 보기 의 모양들의 사진을 찍었습니다. 보기의 모양들 중 사진에 찍힌 모양은 몇 개인지 구하시오.

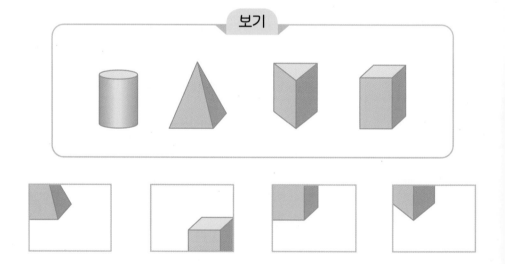

05 붙어 있는 두 입체 모양을 앞과 위에서 보았을 때의 모양을 올바르게 짝지은 것의 번호를 쓰시오.

⚡ 유형 1-1
각 입체 모양을 앞과 위에서 보았을 때, 어떤 모양이 되는지 생각해 봅니다.

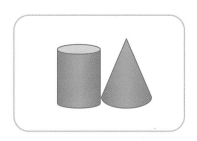

	①	②	③	④
앞에서 본 모양				
위에서 본 모양				

06 왼쪽의 입체 모양을 한 번 잘라서 나눠진 두 조각을 찾아 ○표 하시오.

⚡ 유형 1-2
자르는 방향에 따라 여러 가지 모양이 나올 수 있는데 곧게 자르므로 둥근 부분은 나올 수 없습니다.

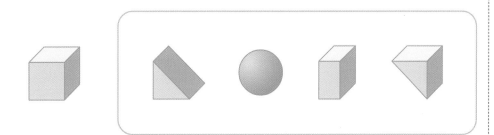

접는 선

유형 1-2
두 조각에 동그란 부분이
있습니다.

07 다음은 한 입체 모양을 한 번 잘라서 두 조각으로 나눈 것입니다. 자르기 전 입체 모양에 ○표 하시오.

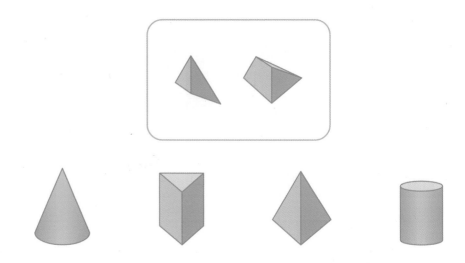

4-2. 주사위와 눈의 수 | 08~12

유형 2-1
주사위는 마주보는 면의
두 눈의 합이 항상 7로
같습니다.

08 바닥에 있는 면의 눈의 수가 가장 큰 주사위의 기호를 쓰시오.

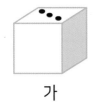
가

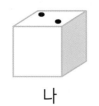
나

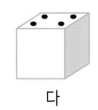
다

접
는
선

09 두 개의 주사위를 붙여 놓았더니 바닥면에 있는 두 면의 주사위 눈
의 수의 합이 4입니다. 이때, 색칠된 면의 눈의 수를 구하시오.

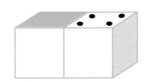

! 유형 2-1
주사위 눈의 수가 4인 밑
면은 주사위 눈의 수가 3
입니다.

10 주사위 7개를 같은 눈의 수가 있는 면끼리 붙여 놓았습니다. 화살
표가 가리키는 면의 눈의 수를 구하시오.

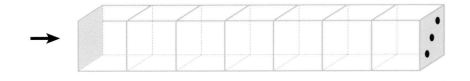

! 유형 2-1
주사위를 2개, 3개, 4
개…. 를 붙였을 때 화살
표가 가리키는 면의 눈의
수가 변하는 규칙을 살펴
봅니다.

접
는
선

! 유형 2-2
㉠ 자리로 굴렸을 때, 바닥면에 있는 주사위 눈의 수는 3입니다.

11 주사위를 색칠된 면을 따라 한 번씩 굴려서 ㉢ 자리까지 왔을 때, 주사위의 윗면의 눈의 수는 얼마인지 구하시오.

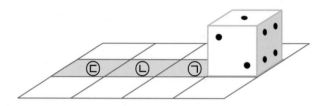

! 유형 2-2
가, 나, 다 자리로 굴렸을 때, 각각 아랫면에 있는 눈의 수를 구합니다.

12 주사위를 색칠된 면을 따라 한 번씩 굴려서 다 자리까지 왔을 때, 주사위의 윗면의 눈의 수를 구하시오.

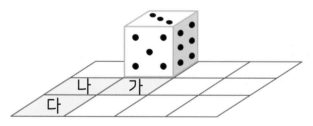

접는선

13 바닥면을 제외하고 주사위의 보이는 면에 있는 눈의 수의 합을 구하시오.

유형 3-1

주사위의 전체 눈의 수의 합은 1+2+3+4+5+6= 21입니다.

14 주사위에서 바닥면을 제외한 면의 눈의 수의 합이 19일 때, 윗면에 보이는 눈의 수를 구하시오.

유형 3-1

주사위 전체 눈의 수의 합으로 바닥면의 눈의 수를 구할 수 있습니다.

접
는
선

 유형 3-1

겹쳐지는 면과 바닥에 있는 면의 눈의 수의 합을 먼저 구합니다.

15 다음과 같이 주사위 2개를 같은 눈의 수가 있는 면끼리 붙여 놓았습니다. 바닥면을 제외하고 보이는 면에 있는 눈의 수를 모두 더한 값을 구하시오.

 유형 3-1

겉으로 보이는 눈의 수의 합이 작으려면 바닥면과 겹쳐지는 두 면에 있는 눈의 수가 순서대로 큰 수가 되어야 합니다.

16 바닥면을 제외하고 겉으로 보이는 눈의 수의 합이 가장 작도록 주사위 2개를 붙여 놓았습니다. 이때, 눈의 수의 합을 구하시오.

예비 활동 가이드

 4단원 70쪽 입체 모양과 주사위 - 2. 주사위와 눈의 수

 주사위 만들기

마주 보는 두 면의 눈의 수의 합이 7이 되도록 주사위를 만들어 봅시다.

주사위 만들고 관찰하기

준비물 - 활동 자료 1, 투명 테이프

<활동 방법>

① 활동 자료 1의 주사위 전개도에서 마주 보는 눈끼리 눈의 수의 합이 모두 7이 되도록 점을 그려 넣습니다.

② 주사위 문제를 풀면서 해결이 안 되는 것이 있으면 직접 만든 주사위를 관찰해 봅니다.

 4단원 74쪽 입체 모양과 주사위 - 2-2. 주사위가 굴러간 길

 주사위가 굴러간 길

주사위를 만들고 나서 다음 페이지의 주사위 굴리기 판에 주사위를 올려 놓고 주사위를 굴릴 때 윗면의 눈의 수가 어떻게 바뀌는지 직접 관찰해 보고 아래의 문제들을 직접 아이와 이야기 해 볼 수 있습니다.

주사위 굴리기

준비물 - 활동 자료 1

① 주사위를 한 방향으로만 굴렸을 때, 윗면의 눈의 수 관찰하기

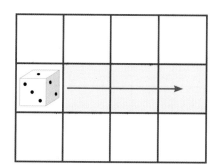

② 굴리는 방법을 다르게 해서 같은 곳까지 굴렸을 때, 주사위의 눈은 어떻게 되는지 관찰하기

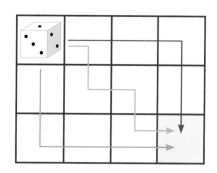

활동지로 만든 주사위를 주사위 굴리기 판 위에 올려 놓고 칸마다 굴리면서 윗면의 주사위 눈의 수가 어떻게 변하는지 관찰해 보시오.

정답

1. 지워진 연산 퍼즐

9쪽

생각열기

지워진 뛰어세기 표

두 방향으로 수를 뛰어센 표의 일부가 지워져 있습니다. 색칠된 칸의 수를 보고 빈칸에 알맞은 수를 써넣으시오.

		8						7
		9		5	6	7	8	9
5	10	15	20	25				11
		11						13
		12						15

네 방향으로 수를 뛰어센 표의 일부만 수가 보이고 나머지는 보이지 않습니다.

		17		55	
10	20	30	40	50	60
		23		45	
		26		40	
	29	31	33	35	37
				30	

빈칸을 채워 표를 완성해 보시오.

10쪽

🏆 가로줄과 세로줄마다 각각 뛰어세기를 한 표의 빈칸에 알맞은 수를 써넣으시오.

		14				
		16				
28	23	18	13	8	3	
		20		7		7
		22		11		8
	24	21	18	15	12	9	6
						10

[풀이]

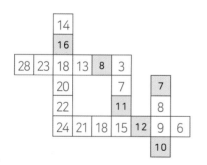

10 줄부터 차례로 뛰어 센 수를 써넣습니다.

11쪽

탐구주제

1 지워진 수들의 차

냥이는 깜이가 만들어 놓은 표를 다시 완성하려고 합니다. 이웃한 두 수의 차가 서로 다르도록 서로 다른 방법으로 1, 2, 3, 4를 넣어 보시오.

1	4	2	3

3	2	4	1

4	1	3	2

2	3	1	4

1, 2, 3, 4 중 두 수를 골랐을 때 차로 나올 수 있는 수는 1, 2, 3이 있습니다. 차가 1, 2, 3이 나오는 식을 모두 써보시오.

차가 1이 되는 식 : $2-1=1, 3-2=1, 4-3=1$

차가 2가 되는 식 : $3-1=2, 4-2=2$

차가 3이 되는 식 : $4-1=3$

앞에서 완성한 표에서 4와 1은 반드시 이웃해 있어야 합니다. 왜 그럴까요?

두 수의 차가 3일 경우는 이웃한 두 수가 4와 1일 때만 가능하므로 반드시 두 수는 이웃해 있어야 합니다.

12쪽

이번에는 1부터 5까지의 수를 하나씩 넣어 이웃한 두 수의 차가 서로 다르게 하려고 합니다. 빈칸에 알맞은 수를 써넣고 ◯ 안에 이웃한 두 수의 차를 쓰시오.

[풀이]

첫 번째, 5가 1 오른쪽 칸에 이웃해 있는 경우

2			1	5

➡ 나머지 3과 4를 어디에 넣어도 이웃한 두 수의 차가 다르게 만들 수 없습니다.

두 번째, 5가 1 왼쪽 칸에 이웃해 있는 경우

13쪽

탐구 유형 1-1 이웃한 두 수의 차

[정답] (1)

	3	
1	5	
	4	

(2)

	3	
1	5	2
	4	

[풀이]

가장 작은 수인 1과 5가 반드시 이웃한 칸에 있어야 합니다.

연습 01

[정답] 라

[풀이]

라 모양만 이웃한 두 수의 차가 모두 다릅니다.

14쪽

연습 02

[정답]

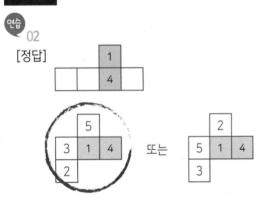

또는

[풀이]

1과 5가 서로 이웃해 있어야 하는데 왼쪽 모양은 5를 1과 이웃하게 넣을 수 없습니다.

연습 03

[정답] (1)

(2)

(3)

3과 4는 서로
바뀔 수 있습니다.

(4)

15쪽

탐구 유형 1-2 차 매트릭스

[정답] (1) 2와 8 (2) 8 (3)

8	5	3
9	6	3
1	1	

[풀이]

5와 차가 3이 될 수 있는 수는 5보다 큰 수에서는 8, 작은 수에서는 2가 있는데 세로줄에서 9와의 차가 1이 되는 수는 8입니다.

연습 01

[정답]

7	11	4
12	9	3
5	2	

[풀이]

세로줄에서 7과 차가 5인 수는 12와 2인데 가로줄에서 9와의 차가 3이 되어야 하므로 7의 아래칸에는 12가 들어가야 합니다.

16쪽

연습 02

[정답] (1)

5	7	2
6	3	3
1	4	

(2)

8	7	1
6	5	1
2	2	

연습 03

[정답] 10

[풀이]

10	8	2
14	7	7
4	1	

3	6	3
9	10	1
6	4	

두 표의 빈칸에 모두 들어가는 수는 10입니다.

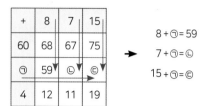

탐구주제
② 벌레 먹은 연산표

연산표에서 ㉠, ㉡, ㉢과 관련된 식을 나타내었습니다. 이때, 가장 먼저 구해야 하는 칸의 기호를 쓰시오.   ㉠

+	8	7	15
60	68	67	75
㉠	59	㉡	㉢
4	12	11	19

➡ 8 + ㉠ = 59
7 + ㉠ = ㉡
15 + ㉠ = ㉢

덧셈표에서 벌레가 갉아 먹은 ㉠, ㉡, ㉢을 구하시오.

㉠ = 51   ㉡ = 58   ㉢ = 66

[풀이]

㉡과 ㉢ 모두 ㉠을 먼저 구해야 값을 계산할 수 있습니다.

㉮와 ㉯ 중에서 먼저 구해야 하는 것은 무엇입니까?   ㉮

16과 ㉮의 차가 8이고, 39와 ㉮의 차가 31입니다. 가 칸에 들어가는 수를 구하시오.

㉮ = 8

㉯를 구하시오.

㉯ = 2

[풀이]

㉯를 구하려면 10과 ㉮의 차를 알아야 하므로 ㉮를 먼저 구합니다.

🖌 뺄셈표의 빈칸에 알맞은 수를 써넣으시오.

-	17	8	1
3	14	5	2
10	7	2	9
6	11	2	5

[풀이]

10과 1을 먼저 구해야 9를 구할 수 있습니다.

탐구 유형 2-1   **연산 퍼즐**

[정답] (1)   먼저 구할 수 있는 기호 :   ㉠

기호가 나타내는 수 :   9

(2) ㉠ : 9   ㉡ : 7   ㉢ : 21

[풀이]

9 + ㉠ = 18에서 ㉠의 값 9를 먼저 구합니다.

연습 01
[정답]

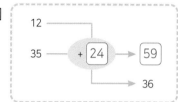

연습 02
[정답]

[풀이]

왼쪽 세로줄에서 8 아래 칸에는 합이 9이므로 1이 들어가고 아래 가로줄에서 1 옆 칸에는 10이 들어가야 합니다.

연습 03
[정답]

4	3	8
9	5	1
2	7	6

[풀이]

8+1+6=15이므로 가로와 세로에 놓인 수의 합이 모두 15가 되도록 써넣습니다.

탐구 유형 2-2 **지워진 사다리**

[정답] (1) ㉠ : 15   ㉡ : 7

(2)
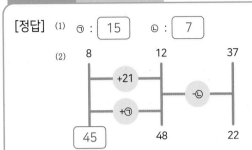

[풀이]

12+21+㉠=48에서 ㉠=15이고, 8+21-㉡=22에서 ㉡=7
입니다. 따라서, □ 안에 값은 37-7+15이므로 □=45입니
다.

연습 01

[정답]
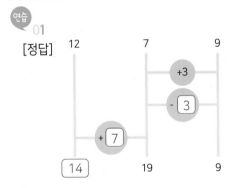

연습 02

[정답] 9
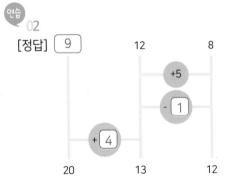

탐구 유형 2-3 **벌레 먹은 셈**

[정답]
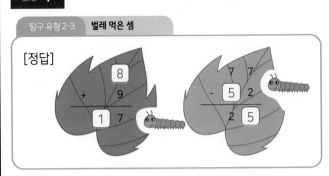

연습 01

[정답]
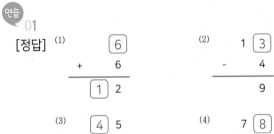

(1)
```
    6
+   6
  1 2
```

(2)
```
  1 3
-   4
    9
```

(3)
```
  4 5
+ 2 3
  6 8
```

(4)
```
  7 8
- 2 2
  5 6
```

TOP 사고력

01

[정답]

		3	
7	5	9	1

[풀이]

1, 3, 5, 7, 9에서 두 수의 차로 나올 수 있는 수는 2, 4, 6 ,8인데 이 중 8은 가장 작은 수인 1과 가장 큰 수인 9의 차로만 나올 수 있습니다. 따라서 1과 이웃하는 칸에 9를 넣어야 합니다.

02

[정답] 가 : 8 나 : 14

[풀이]

+	5	3	6
7	12	10	13
8	13	11	나 14
5	10	가 8	11

7을 먼저 구하면 가로로 더하는 첫 번째 칸의 수는 5입니다. 나머지 빈칸의 수를 차례대로 계산하면 가는 8, 나는 14입니다.

03

[정답] ● : 2 ▲ : 3 ★ : 4 ◆ : 1

[풀이]

★을 가장 큰 숫자인 을 5라고 생각하면 ●은 1이 되어 네 모양 중 가장 작은 숫자가 됩니다. ★을 4라고 할 때, ●=2, ▲=3, ◆=1, 이 됩니다.

04

[정답]

		59		
	31		28	
	21	10	18	
18		3	7	11

[풀이]

		ㅂ		
	31		ㅁ	
	ㄱ	10	ㄹ	
18		ㄴ	ㄷ	11

㉠-㉡-㉢-㉣-㉤-㉥의 순서대로 수를 구할 수 있습니다.

2. 모양이 나타내는 수

생각열기

아이스크림 묶음 상품

①, ②, ③에서 할인되기 전 가격은 얼마인지 구하시오.

①- 1000 원   ②- 1100 원   ③- 1800 원

아이스크림을 하나씩 샀을 때의 가격을 구하시오.

500 원   600 원   700 원

[풀이]

할인되기 전 가격은 할인된 가격보다 두 개를 묶어서 사면 200원, 세 개를 묶어서 사면 400원이 비싸져야 합니다.

어느 문구점에서 파는 학용품의 가격을 나타낸 것입니다. 이때, 연필, 풀, 가위를 1개 살 때의 가격을 각각 구하시오.

600원   800원   1000원

200 원   400 원   600 원

탐구주제
1 모양이 나타내는 수들의 합

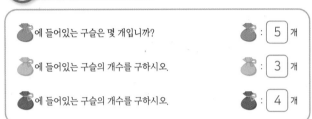

🧡에 들어있는 구슬은 몇 개입니까? 🧡 : 5 개

🤍에 들어있는 구슬의 개수를 구하시오. 🤍 : 3 개

🖤에 들어있는 구슬의 개수를 구하시오. 🖤 : 4 개

🔮 주머니에 구슬을 다시 넣고 표로 나타내었습니다. 각각의 주머니에 들어있는 구슬의 개수를 구하시오.

🤍 : 4 개

🧡 : 5 개

🖤 : 7 개

[풀이]
빨간색 주머니에 들어 있는 구슬의 개수부터 구합니다.

①과 ②에서 파란색 주머니에 들어 있는 구슬은 몇 개입니까? 🔵 : 5 개

③에서 빨간색 주머니에 들어 있는 구슬은 몇 개입니까? 🔴 : 3 개

①에서 노란색 주머니에 들어 있는 구슬은 몇 개입니까? 🟡 : 8 개

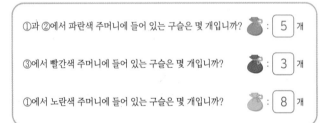

🔮 주머니에 다시 구슬을 넣고 주머니에 들어있는 구슬의 개수로 식을 만들었습니다. 식을 보고 각각의 주머니에 들어있는 구슬의 개수를 구하시오.

🟡 + 🔵 = 7   🟡 + 🔵 + 🔴 = 11   🟡 - 🔴 = 1

🔴 : 4 개   🔵 : 5 개   🟡 : 2 개

[풀이]
첫 번째와 두 번째 식에서 빨간색 주머니에 들어 있는 구슬의 개수를 먼저 구할 수 있습니다.

탐구 유형 1-1 | 덧셈 매트릭스

[정답] (1)  모양이 나타내는 수 : 2

(2) ■ : 2   ● : 6   ▲ : 3   ◆ : 5

[풀이]
가로줄에서 ■+■+■=6이므로 ■ 하나의 값은 2입니다.
세로줄에서 ■+●+■=10이므로 ●=6입니다.
가로줄에서 ▲+●+●=15이므로 ▲=3입니다.
가로줄에서 ◆+◆+■=12이므로 ◆=5입니다.
■의 값만 먼저 찾으면 다른 모양의 값을 찾는 순서는 여러 가지 방법이 나올 수 있습니다.

연습 01

[정답]

[풀이]
세로줄에서 🍅의 값을 먼저 구할 수 있습니다.

🍓=5, ◉=9, 🍒=8, 🍈=6

연습 02

[정답]

11
20
24
18 17 20

[풀이]
농구공이 나타내는 수를 먼저 구합니다.

🏀=8, ⚽=6, 🏐=4, 🏉=3

연습 03

[정답] 다

[풀이]
가=10, 나=1, 다=7 라=2 이므로 □+7+1=15가 되어야 합니다. □=7이므로 다 막대 사탕이 색칠된 빈칸에 들어 갑니다.

탐구 유형 1-2 모양 묶어서 수 찾기

[정답] (1) ◆ : 6 (2) ▲ : 7 (3) ■ : 3 ● : 5

[풀이]
세로줄에서 ●+▲=12이므로 ●+◆+▲=18에서 ◆의 값을 구할 수 있습니다.

 01

[정답]

	6	9	15
9	11	4	24
4	6	11	21
13	23	24	

[풀이]
가장 왼쪽 세로줄의 두 칸의 합이 13이므로 가장 오른쪽 세로줄의 빨간색 칸은 11이 됩니다. 가운데 세로줄에서 빨간색 칸이 11이므로 노란색 칸은 6이 되고 초록색 칸은 4, 파란색 칸은 9가 됩니다.

탐구 유형 1-3 모양이 나타내는 수

[정답] (1) ● = 5 (2) ■ = 10

(3) ▲ = 12 ◆ = 3

[풀이]
1) ▲+◆=15이므로 ▲+◆+●=20에서 ●의 값은 5가 됩니다.
2) ●=5이므로 ■+■=20에서 ■=10이 됩니다.
3) ■+▲=22에서 ▲=12가 되고, ▲+◆=15에서 ◆=3이 됩니다.

 01

[정답] 🐷 = 3   🐻 = 11   🐵 = 6

[풀이]
첫 번째와 두 번째 식에서 원숭이가 나타내는 수는 6이고 세 번째 식에서 돼지가 나타내는 수는 3입니다.

 02

[정답] 🍢 : 3 천원

[풀이]
윗줄의 오른쪽과 왼쪽을 비교하면 꼬치의 가격은 1천원이고 아랫줄의 왼쪽에서 김밥의 가격이 2천원이므로 아랫줄의 오른쪽에서 떡볶이 한 접시의 가격은 3천원입니다.

 03

[정답] ◆ - ▲ = 3

[풀이]
순서대로 구하면 ▲=10, ■=3, ◆=13이므로 ◆-▲=3입니다.

탐구 주제

2 모양만으로 이루어진 식

🦁 + 🦁 = 🐰를 만족할때, 🦁와 🐰카드가 나타내는 숫자는 2가지 경우가 있습니다. □ 안에 알맞은 숫자를 써넣으시오.

① 🦁가 1일 때, 🐰가 2 인 경우

② 🦁가 2일 때, 🐰가 4 인 경우

🦁 + 🐻 = 🐱도 같이 만족할때 카드 뒷면의 숫자는 두 가지 경우가 있습니다. 두 가지 경우에 카드 뒷면이 나타내는 숫자를 쓰시오.

🦁 : 1	🐰 : 2	🐻 : 3	🐱 : 4

🦁 : 2	🐰 : 4	🐻 : 1	🐱 : 3

🐻 + 🐱 = 🐰도 만족하도록 각 카드의 뒷면이 나타내는 숫자를 쓰시오.

🦁 : 2	🐰 : 4	🐻 : 1	🐱 : 3

🐵 + 🐱 = 🦊 를 만족할 때, 🐵 카드의 숫자는 🦊 카드의 숫자와 관계없이 바로 알 수 있습니다. 🐵 카드가 나타내는 수는 무엇입니까? 0

🐱 + 🐵 = 🐱 에서 🐱 와 🐱 카드가 나타내는 숫자는 2가지 경우가 있습니다. □안에 알맞은 숫자를 써넣으시오.

┌ 🐱 = 2
│ 🐱 = 4 인 경우와

┌ 🐱 = 4
│ 🐱 = 8 인 경우

🐻 + 🐻 = 🐱 도 만족하도록 각 카드의 뒷면이 나타내는 숫자를 쓰시오.

🐵 : 0   🐱 : 2   🐻 : 4   🐱 : 8

[풀이]

여우 카드에 원숭이 카드를 더했는데 그대로 여우 카드가 나왔으므로 원숭이가 나타내는 숫자는 0입니다.

탐구 유형 2-1   주어진 모양과 수

[정답] (1) ◆ = 0

(2)
▲ = 1 , ■ = 2 인 경우와

▲ = 2 , ■ = 4 인 경우

(3) ▲ = 2   ■ = 4   ● = 3

사용하지 않은 수 : 1

[풀이]

1) ●에서 ◆의 값을 빼도 그대로 ●가 나왔으므로 ◆가 나타내는 수는 0입니다.

2) 0은 정해졌으므로 1, 2, 3, 4에서 생각해 보면 같은 수를 두 번 더할 수 있는 경우는 1+1=2와 2+2=4가 있습니다.

3) ▲+■가 ●+●가 되려면 (2)에서 구한 두 식 중 2+4=3+3이 되어야 합니다.

따라서 ◆=0, ▲=2, ■=4, ●=3 이므로 숫자 1은 사용되지 않았습니다.

연습 01

[정답] ● = 1   ◆ = 3   ▲ = 2   ■ = 4

[풀이]

숫자 카드를 사용하여 같은 수를 더해서 다른 수가 나올 수 있는 경우는 1+1=2와 2+2=4가 있습니다.

연습 02

[정답]   = 6   = 2   = 4   = 0

[풀이]

첫 번째 식에서 초록색 카드의 숫자는 0입니다. 두 번째 식에서 나올 수 있는 식은 2+4=6이나 4+2=6이 되어야 하는데 세 번째 식에서 보라색 카드의 숫자는 2, 빨간색 카드의 숫자는 4가 됩니다.

탐구 유형 2-2   모양의 크기 비교

[정답] (1) ■ < ●   ● < ▲   ■ > ◆

(2) ◆ < ■ < ● < ▲

(3) 가장 큰 두 자리 수 : ▲ ●

[풀이]

십의 자리 숫자의 모양이 다르면 크기가 큰 쪽의 십의 자리 숫자의 크기가 큽니다. 십의 자리 숫자가 같은 모양이면 일의 자리 모양의 크기가 큰 쪽이 큰 수입니다.

01

[정답]

[풀이]

컵 안의 숫자의 크기를 비교하면

 < < < 입니다. 7은 숫자 카드 중 두 번째로 크거나 세 번째로 작은 수이므로 파란색 컵에 숫자 7이 들어 있습니다.

02

[정답]

[풀이]

첫 번째 식에서 잠자리는 벌과 나비보다 큰 수입니다. 두 번째 식에서 벌은 개미보다 큰 수입니다. 세 번째 식에서 개미는 나비보다 두 배 큰 수입니다. 따라서 가장 작은 수를 나타내는 곤충은 나비입니다.

 TOP 사고력

01

[정답]

[풀이]

두 번째 그림에서 토끼와 원숭이 한 마리씩의 가격이 4천원이므로 첫 번째 그림에서 펜더 두 마리의 가격이 2천원, 펜더 한 마리의 가격이 1천원입니다. 세 번째 그림에서 원숭이 한 마리의 가격은 2천원, 토끼 한 마리의 가격도 2천원이 됩니다.

02

[정답] ◆ : 8   ■ : 3

[풀이]

세 번째 세로줄에서 ▲의 값은 5가 됩니다. 두 번째 가로줄에서 ●+●=12이므로 ●=6이고 네 번째 세로줄에서 ■=3, 두 번째 세로줄에서 ◆=8이 됩니다.

03

[정답]   ⊙   ●

[풀이]

십의 자리를 비교한 것과, 십의 자리가 같은 경우 일의 자리를 비교한 것을 다시 나타내면

● < ● , ● < ● , ● < ● , ● < ● 이므로

빨간색 공은 노란색, 파란색 공보다 큰데 초록색 공은 노란색 공보다 작습니다. 따라서 가장 큰 숫자를 나타내는 공은 빨간색 공입니다.

04

[정답] ⊙ : 1   ⊙ : 2   ⊙ : 3   ⊙ : 6

[풀이]

연두색 사탕을 세 번 더했을 때, 10보다 작아야 하므로 연두색 사탕은 1, 2, 3중의 하나입니다. 이때 노란색 사탕 2개의 합이 연두색 사탕의 값이 되어야 하므로 노란색 사탕은 1, 연두색 사탕은 2가 됩니다. 따라서 파란색 사탕은 6, 빨간색 사탕은 3이 됩니다.

3. 쌓기나무의 관찰

45쪽

생각열기

못이 통과한 쌓기나무

가와 나 모양에서 못이 지나간 쌓기나무는 몇 개일지 개수를 각각 세어 보시오.
어느 쪽이 못이 지나간 쌓기나무가 더 많습니까?

가 쌓기나무

가 쌓기나무 : [5] 개

나 쌓기나무 : [4] 개

오른쪽은 1층과 2층에 놓인 쌓기나무 모양을 □ 모양으로 그려놓은 것입니다.
1층과 2층에서 못이 통과한 쌓기나무가 있는 칸에 모두 ○표를 해 보시오.

반대로 1층과 2층의 ○표한 위치를 보고 못이 어느 곳에 박혀 있는지 알 수 있습니까? 다음 1층과 2층의 ○표를 보고 못 2개를 어떻게 박아야 할지 생각해보시오.

1층

2층

1층은 세 군데가 모두 통과하도록 오른쪽에서 왼쪽으로 못을 박아야 하고 2층은 위에서 1층의 쌓기나무 하나와 겹치도록 위에서 아래로 통과하도록 못을 박아야 합니다.

46쪽

각각 못 2개를 박아서 1층과 2층의 위치에 못이 지나가도록 하려고 합니다.
못을 박아야 하는 면을 색칠하시오. 단, 못은 앞에서 뒤로, 오른쪽에서 왼쪽으로, 위에서 아래로 박습니다.

(1)   (2)

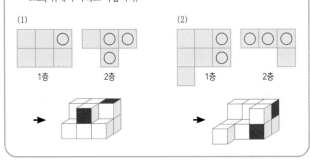

[풀이]

1층과 2층에서 동시에 지나가는 못의 위치를 찾아야 합니다.

47쪽

탐구주제
① 쌓기나무의 개수

1층에 쌓인 쌓기나무의 모양을 □으로 나타냈습니다. 2층과 3층의 모양을 □으로 그리시오.

→ 사용한 쌓기나무의 개수 : [5] + [3] + [1] = [9] (개)

다음 모양을 만드는데 사용한 쌓기나무의 개수를 구하시오.   8개

[풀이]

1층에 5개, 2층에 2개, 3층에 1개의 쌓기나무가 있습니다.

48쪽

각 칸의 가장 높은 쌓기나무에 몇 층까지 쌓았는지를 개수로 쓴 것입니다. □ 안에 알맞은 개수를 쓰고 사용된 쌓기나무의 개수를 구하시오.

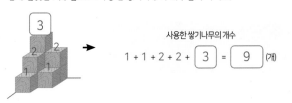

사용한 쌓기나무의개수

1 + 1 + 2 + 2 + [3] = [9] (개)

모양을 만드는데 사용한 쌓기나무의 개수를 구하시오.

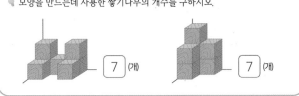

[7] (개)   [7] (개)

[풀이]

49쪽

탐구 유형 1-1 　보이지 않는 쌓기나무

[정답] (1)

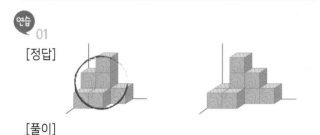

$$2 + 1 = 3 \text{(개)}$$

(2) $10 - 7 = 3$ (개)

연습 01

[정답]

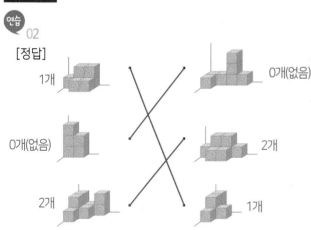

[풀이]
보이지 않는 쌓기나무는 왼쪽이 2개, 오른쪽이 1개 있습니다.

50쪽

연습 02

[정답]

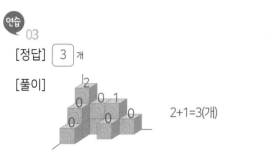

연습 03

[정답] 3 개

[풀이]

$$2+1=3(개)$$

[다른풀이]
전체 쌓기나무의 개수 12개에서 보이는 쌓기나무 9개를 뺀 3개가 보이지 않는 쌓기나무의 개수입니다.

51쪽

탐구 유형 1-2 　1층의 모양과 개수

[정답] (1) 가, 라　　(2) 라

연습 01

[정답]

52쪽

연습 02

[정답]

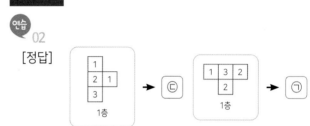

[풀이]
1층의 모양이 같은 것을 먼저 찾은 다음 칸마다의 개수를 비교합니다.

연습 03

[정답] 14개

[풀이]
만든 모양은 가로, 세로, 높이가 모두 3개를 쌓아 만든 모양입니다. 칸마다 빼야 하는 쌓기나무의 개수를 써서 모두 더합니다.

빼야 하는 쌓기나무의 개수 →

53쪽

붙여 놓은 쌓기나무

가의 경우 맞닿은 부분이 3군데 있습니다. 나머지 모양은 맞닿은 부분이 몇 개씩 있는지 구하시오.

나 : 3 개 다 : 3 개 라 : 4 개

가의 경우 풀은 모두 2+2+2=6(번) 발라야 합니다. 나머지 모양은 풀을 몇 번 발라야 하는지 구하시오.

나 : 6 번 다 : 6 번 라 : 8 번

🖊 다음 모양을 맞닿은 양쪽 면에 모두 풀을 발라 모양이 고정되도록 하려고 합니다. 풀은 모두 몇 번 발라야 합니까?

10번

[풀이]
두 면이 맞닿은 부분이 모두 5개 있으므로 풀은 모두
2+2+2+2+2=10(번) 발라야 합니다.

54쪽

직접 색칠된 겉면의 개수를 세어서 구하시오.   18개

다음 순서대로 색칠된 쌓기나무의 겉면의 개수를 직접 세어보지 않고 구할 수 있습니다. □ 안에 알맞은 수를 써넣으시오.

쌓기나무 한 개의 면은 6개입니다. 이때 모양을 만들기 전 쌓기나무 4개 전체의 겉면의 개수는 몇 개입니까?

6 + 6 + 6 + 6 = 24 (개)

쌓기나무 4개의 전체 면의 개수에서 쌓기나무끼리 붙어 있어서 파란색을 칠하지 않아도 되는 면의 개수를 빼서 파란 색으로 색칠한 겉면의 개수를 구하시오.

24 - 6 = 18 (개)

55쪽

[정답] (1) 8 개

(2) 4 개

(3) 12개

[풀이]
쌓기나무끼리 묻어 있는 면과 바닥에 붙어 있는 면에 모두 풀을 칠하므로 8+4=12(개)의 면에 풀을 발라야 합니다.

연습 01

[정답] 7개

[풀이]
맞닿은 두 면이 모두 6개인데 풀을 한 면에만 발랐고 바닥면에 한 번 풀을 발랐으므로 풀을 바른 면은 모두 6+1=7(개)입니다.

56쪽

연습 02

[정답] 나―가―다―라

[풀이]
가 : 맞닿은 부분 5개, 바닥면 2개 → 5+5+2=12(개)
나 : 맞닿은 부분 5개, 바닥면 3개 → 5+5+3=13(개)
다 : 맞닿은 부분 4개, 바닥면 3개 → 4+4+3=11(개)
라 : 맞닿은 부분 4개, 바닥면 2개 → 4+4+2=10(개)

연습 03

[정답] 12개

[풀이]
맞닿은 두 면 중 한 면에만 풀칠을 하므로 쌓기나무가 맞닿은 부분과 바닥면의 합이 풀칠을 한 면의 개수입니다. 맞닿은 부분이 8개이고 바닥면의 개수가 4개이므로 8+4=12(개)

탐구 유형 2-2   겉면이 색칠된 쌓기나무

[정답] (1) 30개   (2) 10개   (3) 20개

[풀이]
전체의 면의 개수는 6+6+6+6+6=30(개)이고
이 중 맞닿은 부분이 5개이므로 맞닿은 면의 개수는 10개입니다. 따라서, 색칠한 모양의 겉면의 개수는 30-10=20(개)입니다.

연습 01

[정답] (1) 19개   (2) 18개

[풀이]
(1) 전체 면의 개수는 30개이고 맞닿은 면이 8개인데 바닥면 3개를 제외한 겉면의 개수를 구해야 하므로
30-8-3=19(개)입니다.
(2) 전체 면의 개수는 30개이고 맞닿은 면이 8개인데 바닥면 4개를 제외한 겉면의 개수를 구해야 하므로
30-8-4=18(개)입니다.

탐구주제
3 잘라낸 나무 도막의 개수

탐구 유형 3-1   같은 모양으로 자르기

[정답] (1)

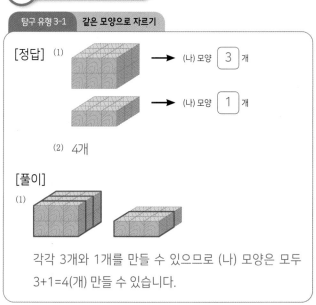

(2) 4개

[풀이]
(1)

각각 3개와 1개를 만들 수 있으므로 (나) 모양은 모두 3+1=4(개) 만들 수 있습니다.

연습 01

[정답] 3개

[풀이]
(가) 모양의 1, 2, 3, 4층에서 (나) 모양을 4개 만들 수 있고 남은 부분에서 1개를 더 만들 수 있습니다.
이때, (가) 모양에서 남은 쌓기나무는 3개입니다.

연습 02

[정답] 2개

[풀이]

한 층에서 ㉠ 모양을 2개씩 만들 수 있고 남는 모양은 인데 남는 모양에서 ㉠ 모양을 하나 더 만들 수 있습니다.

따라서, ㉠ 모양을 모두 잘라내고 나면 2개의 쌓기나무가 남습니다.

TOP 사고력

01

[정답] 6개

[풀이]

 모양 2개를 겹쳐 놓았다고 생각하면 뒤의 모양에서

6개의 쌓기나무가 보이지 않습니다.

02

[정답] 3개

[풀이]

물감 하나로 칠할 수 있는 겉면은 모두 10개입니다. 따라서 오른쪽 쌓기나무의 바닥을 포함한 겉면의 개수는 모두 24개이므로 2개의 물감을 사용하더라도 4개의 면을 칠하기 위해서 1개의 물감을 더 사용해야 합니다. 따라서, 필요한 물감은 모두 3개입니다.

03

[정답] 4개

[풀이]

(가) 모양을 앞에서 본 모양에서 (나) 모양을 2개 만들 수 있습니다.

따라서 (나) 모양을 모두 2+2=4(개)만들 수 있습니다.

04

[정답] 6개

[풀이]

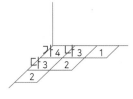 가, 나, 다 칸에서 보이지 않는 쌓기나무를 찾아 보면, 가 칸에서 3개, 나 칸에서 1개, 다 칸에서 2개의 쌓기나무가 보이지 않습니다.

4. 입체 모양과 주사위

 생각열기

뿔 모양과 기둥 모양

냥이는 생일 파티 후 집에 있던 물건들을 정리하려고 합니다. □ 안에 분류한 모양을 보고 빈 곳에 같은 모양의 물건들의 번호를 써넣으시오.

③ ⑥ ⑨ ⑩ ⑪

① ⑤ ⑦ ⑧ ⑫

② ④

🏆 기둥 모양들을 설명에 따라 2가지로 분류해서 알맞은 기호를 써넣으시오.

가   나   다   라

둥근 부분이 있는 모양 : 가 , 다

둥근 부분이 없는 모양 : 나 , 라

🏆 뿔 모양들을 설명에 따라 2가지로 분류해서 알맞은 기호를 써넣으시오.

가   나   다   라

둥근 부분이 있는 모양 : 가 , 라

둥근 부분이 없는 모양 : 나 , 다

탐구 주제

1 입체 모양의 관찰

깜이와 냥이는 입체 모양을 각자 다른 방법으로 관찰해 보려고 합니다. 왼쪽은 냥이가 구멍 뚫린 종이로 입체 모양 하나를 골라 바라본 모습입니다. 냥이가 바라본 입체 모양에 ○표 하시오.

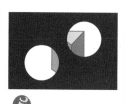

냥이

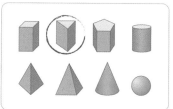

왼쪽은 깜이가 입체 모양 중에서 하나를 골라 돋보기로 관찰한 모습입니다. 깜이가 고른 입체 모양을 고르고 돋보기로 확대한 부분을 ○로 그려 보시오.

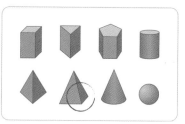

깜이

65쪽

66쪽

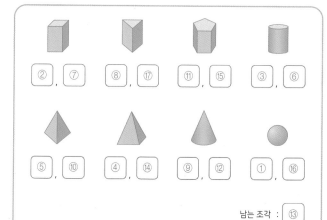

②, ⑦   ⑧, ⑰   ⑪, ⑮   ③, ⑥

⑤, ⑩   ④, ⑭   ⑨, ⑫   ①, ⑯

남는 조각 : ⑬

탐구 유형 1-1   입체 모양의 사진

[정답] ③

[풀이]

① 오른쪽 뿔 모양을 밑에서 찍은 모양

② 왼쪽 기둥 모양을 옆에서 가운데 선이 오도록 돌려서 찍은 모양

④ 오른쪽 뿔 모양을 옆에서 찍은 모양

 01

[정답] 3개

[풀이]

옆에서 본 모양을 돌리면서 모양과  모양이 나올 수 있습니다.

68쪽

 02

[정답] ④

[풀이]

 모양에서 둥그런 부분은 모양에서 찍은 사진이 아닙니다.

 03

[정답]

[풀이]

● 모양 : ▲ 모양을 위에서 본 모양(점이 뾰족한 부분)

▲ 모양 : ▲ 모양을 옆에서 본 모양

● 모양 : ▲ 모양을 아래에서 본 모양

탐구 유형1-2 　잘라 놓은 입체 모양

[정답] ①, ②, ④

[풀이]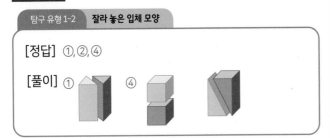

[정답] (1)

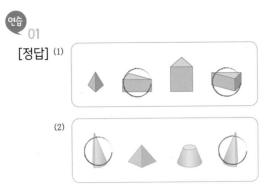

(2)

탐구주제

② 　주사위와 눈의 수

주사위의 이웃한 면끼리는 서로 다른 색을 칠하려고 합니다. 이때, 가장 적게 색을 사용하려면 몇 가지 색이 필요합니까?

한 면에 이웃한 면이 4개씩 있으므로 반대쪽의 마주 보는 면과 같은 색을 칠할 수 있습니다. 마주 보는 면은 3쌍이 있으므로 3가지 색을 사용하면 이웃한 면끼리 서로 다른 색을 칠할 수 있습니다.

주사위에서 서로 이웃하지 않는 두 면을 마주 보는 면이라고 합니다. 각 점이 있는 면에서 마주 보고 있는 면에 있는 눈을 그려보시오. 이때 마주보는 두 면에 있는 눈의 수의 합은 각각 얼마가 됩니까?

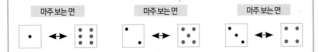

주사위를 실제로 관찰해 보면 마주 보는 두 눈에 있는 눈의 수의 합은 항상 7이 됩니다.

◦ 다음과 같이 두 주사위를 붙여 놓았을 때, 바닥에 있는 두 면의 눈의 수의 합을 구하시오. 　11

[풀이] 주사위의 7점 원리에 따라 각각 아랫면의 눈의 수는 6과 5입니다. 두 면의 눈의 수의 합은 11입니다.

◦ 주사위 3개를 같은 수의 눈이 있는 면끼리 붙여 놓았습니다. 가장 왼쪽 면에 써 있는 주사위 눈의 수를 구하시오. 　2

[풀이]

탐구 유형 2-1 　주사위 눈의 수

[정답] (1) 　(2) 5

[풀이]
바닥의 왼쪽 면의 눈의 수는 6이고 오른쪽의 눈은 2입니다. 따라서 색칠한 면의 눈의 수는 5입니다.

[정답] 다

[풀이]

주사위 2개를 같은 눈의 수가 있는 면끼리 붙이면 가장 바닥면의 눈의 수는 윗면의 눈의 수와 같아집니다.

연습 02

[정답]

  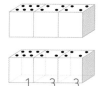

[풀이]

연습 03

[정답] 2

[풀이]

| ... | 5 | 2 2 | 5 5 | 2 2 | 5 5 | |

그림과 같이 옆으로 짝수 번째는 눈이 같은 2,
홀수 번째는 마주 보는 면과 같은 5인 규칙을 찾을 수 있습니다.

탐구 유형 2-2   주사위가 굴러간 길

[정답] (1) 가 : 2   나 : 4   다 : 1

(2) 6

[풀이]

연습 01

[정답] 1

[풀이]

가 자리로 굴렸을 때, 아랫면의 눈의 수 : 5
나 자리로 굴렸을 때, 아랫면의 눈의 수 : 4
다 자리로 굴렸을 때, 아랫면의 눈의 수 : 6
따라서, 다 자리까지 왔을때 윗면의 눈의 수는 1입니다.

탐구주제
3   주사위 눈의 수의 합

주사위 1개의 모든 눈의 수의 합을 구하시오.

1+2+3+4+5+6= 21

주사위를 위와 아래로 분리하였습니다. 색칠된 면이 보이지 않는 면입니다.

① ㉠면의 수를 제외하고 나머지 위쪽 주사위 면의 눈의 수의 합이 가장 클 때의 값을 구하시오.

20

② 주사위에서 ㉡과 ㉢의 눈의 수를 제외한 나머지 눈에 보이는 면의 눈의 수의 합을 구하시오.

21-7=14

①과 ②에서 눈으로 보이는 주사위 눈의 수의 합이 가장 클 때, 얼마가 되는지 구하시오.

20 + 14 = 34

탐구 유형 3-1   주사위 눈의 수의 합

[정답] (1) 16

(2) 1층 : 14   2층 : 14

(3) 44

[풀이]
윗면과 아랫면을 제외한 4면에 있는 눈의 수의 합은 항상 21-7=14가 됩니다.

연습 01

[정답] 3

[풀이]
윗면과 바닥면을 제외한 눈의 수의 합은 14입니다. 따라서, 윗면의 눈의 수는 17-14=3

02

[정답] 22

[풀이]

마주 보는 두 면의 눈의 수의 합이 7이고 양쪽 두 면의 눈이 모두 2이므로 7+7+1+3+2+2=22

[다른 풀이]

전체 눈의 수의 합이 21+21=42이고 바닥의 두 눈의 수의 합이 6+4=10, 가운데 붙어 있는 두 눈의 수의 합이 5+5=10이므로 보이는 면의 눈의 수의 합은 42-10-10=22

03

[정답] 43

[풀이]

겉으로 보이는 눈의 수의 합이 가장 작으려면 가장 윗면의 반대편의 눈의 수가 가장 큰 6이 되어야 합니다. 따라서, 14+14+14+1=43

🏁 TOP 사고력

01

[정답]

[풀이] 두 모양 모두 동그란 부분이 있고 하나는 세모 모양이 있으므로 두 모양은 공 모양과 둥근 부분이 있는 뿔 모양입니다.

02

[정답] 나, 다, 라

[풀이] 가장 바닥에 올 수 있는 것은 위에서 보았을 때, 세모 모양이 되는 나, 마 중 하나인데 위에 모양을 더 쌓을 수 있는 것은 나입니다. 중간에는 가, 라, 바 중 위에 모양을 더 쌓을 수 있는 라가 와야 하고 가장 위에는 위에서 보았을 때, 네모 모양인 다 모양이 와야 합니다.

03

[정답] 2

[풀이] 사용한 주사위를 돌리면 그림과 같이 색칠된 면의 반대편 끝에 있는 면의 주사위의 눈이 5임을 알 수 있습니다. 따라서, 주사위 3개를 같은 면이 있는 눈끼리 붙여 놓았으므로 색칠한 면의 눈의 수는 주사위에서 5의 맞은편에 있는 눈의 수인 2가 와야 합니다.

04

[정답] 40

[풀이] 주사위 3개의 전체 눈의 수의 합은 21+21+21=63인데 겹쳐진 면에 최대한 큰 수가 맞닿아 있어야 합니다. 따라서, 그림처럼 한 곳의 주사위의 맞닿은 눈이 모두 6이고, 다른 한 곳의 맞닿은 두 면의 눈의 수가 5와 6이어야 합니다. 이때의 주사위 눈의 수의 합은 63-6-6-6-5=40이 됩니다.

81쪽

1. 지워진 연산 퍼즐

01
[정답]

깜이
차:1

냥이
차:2

송연
차:3

[풀이]

가장 작은 수인 1과 가장 큰 수인 4의 차인 3은 한 가지 방법으로만 만들 수 있습니다.

02
[정답] 다

[풀이]

다는 1과 4가 서로 이웃해 있고 이웃한 두 수의 차가 모두 다릅니다.

82쪽

03
[정답]

2	
3	1
	4

[풀이]

4 윗칸에 1을 넣고 나머지 2와 3을 넣으면서 차가 모두 다르게 만듭니다.

04
[정답]

[풀이]

1의 양쪽에 5를 넣고서 나머지 3과 4를 넣어봅니다.

83쪽

05
[정답] 3

[풀이]

가장 큰 수인 9 옆의 칸에 가장 작은 수인 5를 넣습니다.

06
[정답]

9	7	2
13	6	7
4	1	

[풀이]

9와 가로로 이웃한 수는 11이거나 7이 되어야 하는데 6과의 차가 1이 되려면 7이 되어야 합니다. 9와 세로로 이웃한 수는 9와의 차가 4가 되는 5이거나 13이 되어야 하는데 6과의 차가 7이 되어야 하므로 13이 되어야 합니다.

84쪽

07
[정답]

5	7	2
8	4	4
3	3	

11	9	2
8	12	4
3	3	

[풀이]

㉠은 8과의 차가 3이므로 8보다 3작은 5와 8보다 3큰 11로 나누어 생각합니다.

㉠		2
8		4
3	3	

08
[정답] 가 : 6, 나 : 5

[풀이]

나를 먼저 구할 수 있습니다. 나는 7에 더해서 12가 되는 수이므로 5이고 가는 5를 더해서 11이 나오는 수이므로 6입니다.

09
[정답] 5

[풀이]
색칠된 빈 칸의 수는 9와의 차가 4이고 2와의 차가 3인 수입니다.

10
[정답]

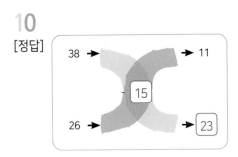

[풀이]
26에서 가운데 □ 안의 수를 빼면 11 이므로 가운데 □ 안의 수는 15입니다. 따라서, 다른 □ 안의 수는 38-15=23입니다.

11
[정답]

		3
2	4	6
12	3	9
	7	15

[풀이]
두 수의 합을 이용해서 구할 수 있는 수를 먼저 찾습니다.

12
[정답]

1	5	7
3	6	4
9	2	2

[풀이]
가로나 세로로 한 줄의 합이 7+4+2=13으로 모두 같게 만듭니다.

13
[정답]

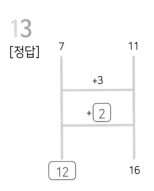

[풀이]
11+3+□=16이므로 가운데 □=2이고 7+3+2=12입니다.

14
[정답]

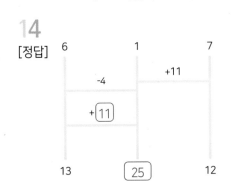

[풀이]
6-4+□=13이므로 가운데 □=11이고 7+11-4+11=25입니다.

15
[정답]

(1)
```
      9
+     8
─────────
  1   7
```

(2)
```
    2   3
+   3   5
─────────
    5   8
```

16
[정답]

(1)
```
    1   3
-       5
─────────
        8
```

(2)
```
    8   8
-   6   1
─────────
    2   7
```

2. 모양이 나타내는 수

01

[정답] : 5   : 4   🍉 : 11

[풀이]

참외 2개의 합이 10이므로 참외 하나가 나타내는 수는 5이고
참외와 키위의 합이 9이므로 키위는 4, 수박은 11을 나타냅니다.

02

[정답] ◆ : 11   ■ : 6   ● : 10

[풀이]

◆+◆=22에서 ◆=11이므로 ◆+◆+●=32에서 ●=10입니다. 따라서 , ●+■=16이므로 ■=6입니다.

03

[정답] ✏ : 2   🥒 : 5   🍆 : 8   🥕 : 7

[풀이]

✏ + ✏ + ✏ =6이므로 ✏ =2

🥒 + ✏ + 🥒 =9이므로 🥒 =5

🍆 + 🍆 + 🥒 =21이므로 🍆 =8

🥒 + 🥕 + ✏ =14이므로 🥕 =7

04

[정답] 19

[풀이]

●+●+●=9에서 ●=3이고 ■+■+●=13에서 ■=5,
●+◆+●=16에서 ◆=10입니다.
◆+▲+●=17이므로 ▲=4이므로 ■+◆+▲=19입니다.

05

[정답] 🐱 : 6   🐑 : 3   🐺 : 8   🐯 : 5

[풀이]

🐱 + 🐑 + 🐯 =14에서 🐱 + 🐯 =11이므로 🐑 =3

🐑 + 🐯 + 🐺 =19에서 🐺 =8

🐱 + 🐑 =9에서 🐱=6이고 🐯=5

06

[정답]

	13	10	10
15	■	●	◆
10	▲	▲	●
8	●	▲	

[풀이]

▲+●=8이므로 ●+▲+▲=10에서 ▲=2, ■=5, ●=6입니다. 따라서 빈 곳에는 6이 들어가야 하므로 ● 모양을 그려야 합니다.

07

[정답] 6 백원

[풀이]

연필 한 자루가 2백원, 풀 한 개가 3백원, 지우개 한 개가 1백원이므로 모두 6백원입니다.

08

[정답] ▲ = 2   ■ = 7

[풀이]

▲+■=9인데 ■ 1개를 더 더한 ▲+■+■=16이므로 ■=7입니다.

09

[정답] = 6    = 5

[풀이]
곰 인형을 1개 더 더했을때, 6이 커졌습니다.

10

[정답] ▲ = 2   ■ = 4   ◆ = 1   ● = 7

[풀이]
첫 번째 식에서 ■를 더했을때 네 번째 식이 되고 ■=4입니다.

11

[정답] : 1 천원

[풀이]

  에서 하나의 가격은 1천원

4천원   3천원

 에서 🍩 하나의 가격은 2천원 이므로

3천원

 하나의 가격은 1천원입니다.

12

[정답] ▲ = 2   ■ = 4   ◆ = 7   ● = 5

[풀이]
윗줄의 두 식에서 ■가 4임을 알 수 있고 ◆+■=11에서 ◆=7, ▲+◆=9에서 ▲=2, ◆-●=2에서 ●=5임을 알 수 있습니다.

13

[정답] ▲ = 4   ■ = 2   ◆ = 1   ● = 3
       ▲ = 3   ■ = 4   ◆ = 2   ● = 1

[풀이]
◆+◆=■에서 ◆가 1일 때 ■=2, ◆가 2일 때 ■=4인 두 가지 경우가 있습니다.

14

[정답] 0 = ■   1 = ▲
        2 = ●   3 = ◆

[풀이]
■+▲=▲에서 ■을 더했을 때, ▲의 값이 변하지 않았으므로 ■=0입니다. 0을 제외하고 ◆-●=▲에서 3-2=1이거나 3-1=2가 되어야 하는 데 ●이 ▲보다 큰 숫자이므로 ◆=3, ●=2, ▲=1입니다.

15

[정답] ● ▲ ◆ (■)

[풀이]
첫 번째 식에서 ●이 ▲보다 더 큰 수를 나타내는 카드이고 두 번째 식에서 ■이 ●보다 더 큰 수를 나타내는 카드입니다. 마지막으로 세 번째 식에서 ◆보다 ■이 더 큰 수이므로 ■이 가장 큰 수를 나타내는 카드입니다.

16

[정답]

[풀이]
각 식에서 🌸 > 🌼, ⚫ < 🌼, 🌺 < ⚫ 이므로 순서대로 나타내면 🌺 < ⚫ < 🌼 < 🌸 입니다.
이때, 4를 나타내는 꽃은 가장 큰 수를 나타내는 🌸 입니다.

3. 쌓기나무의 관찰

01

[정답] 8 (개)

[풀이]

 3+2+1+1+1=8(개)

[다른 풀이]

층별로 쌓기나무의 개수를 세서 모두 더합니다.
1층 5개, 2층 2개, 3층 1개이므로 5+2+1=8(개)

02

[정답] 가

[풀이]

5개   6개   6개

03

[정답] 6개

[풀이]

필요한 쌓기나무의 개수를 비교합니다.

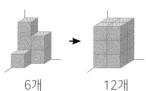

6개   12개

[다른 풀이]

1층의 각 칸마다 위로 더 쌓아야 하는 쌓기나무의 개수를 세서 더합니다. 0+2+3+1=6(개)

04

[정답] 5 (개)

[풀이]

각 칸마다 보이지 않는 쌓기나무의 개수를 세서 더합니다. 2+2+1=5(개)

[다른풀이]

전체 쌓기나무의 개수가 15개이고 보이는 쌓기나무가 10개이므로 보이지 않는 쌓기나무의 개수는 15-10=5(개)입니다.

05

[정답] ㉠

[풀이]

모두 7개씩의 쌓기나무를 이용한 것이므로 보이는 쌓기나무가 6개, 보이지 않는 쌓기나무가 1개가 되어야 합니다. ㉡은 보이는 쌓기나무가 5개, 보이지 않는 쌓기나무가 2개입니다.

06

[정답]

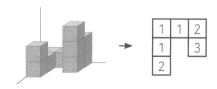

1층

07

[정답] ④

[풀이]

1층의 모양이 같게 쌓아진 것은 ①번과 ④번이고 이 중 칸에 쌓아진 쌓기나무의 개수까지 같은 모양은 ④번 입니다.

08

[정답] 5개

[풀이]

만들려는 쌓기나무의 1층의 모양과 개수를 써서 비교합니다.

09

[정답] 16개

[풀이]

맞닿은 부분이 모두 8개이고 각 면마다 2개의 면에 풀을 발라야 하므로 8+8=16(개)의 면에 풀을 발라야 합니다.

10

[정답] 16개

[풀이]

맞닿은 부분이 6군데이고 바닥의 4개의 면에 풀을 발라야 하므로 모두 6+6+4=16(개)의 면에 풀을 발라야 합니다.

보이지 않는 부분에 맞닿은 부분이 있습니다.

11

[정답] ㉢

[풀이]

㉠ 모양 : 4+4+3=11(개), ㉡모양 : 4+4+5=13(개), ㉢모양 4+4+1=9(개)의 면에 쌓기나무를 발라야 합니다.

[다른 풀이]

겹쳐진 부분의 개수가 모두 같으므로 바닥면에 가장 적게 풀을 바른 ㉢ 모양이 풀을 바른 면의 개수가 가장 적습니다.

12

[정답] 20개

[풀이]

5개 전체 면의 개수는 6+6+6+6+6=30(개)이고, 겹쳐진 두 면의 개수가 4+4=8(개), 바닥면의 개수가 2개이므로 눈으로 보이는 색칠된 겉면의 개수는 30-8-2=20(개)입니다.

13

[정답] 22개

[풀이]

전체 면의 개수는 6+6+6+6+6=30(개)이고 겹쳐진 면이 모두 4+4=8(개)이므로 색칠해야 하는 겉면은 30-8=22(개)입니다.

14

[정답] 2개

[풀이]

1층과 2층에서 각각 오른쪽 모양을 하나씩 잘라낼 수 있고 남은 모양에서는 더 이상 오른쪽 모양을 만들 수 없습니다.

15

[정답] ㉢

[풀이]

㉠은 세로로 가운데를 자르면 각각 2개씩의 모양을 만들 수 있고 ㉡과 ㉣은 1층과 2층에서 각각 2개씩의 모양을 만들 수 있습니다.

16

[정답] 2개

[풀이]

그림과 같이 세 부분으로 나누면 각각 3개, 1개, 1개를 자르고 쌓기나무 2개가 남습니다.

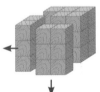

나 모양 1개
남는 쌓기나무 1개

나 모양 3개
남는 쌓기나무 없음

나 모양 1개
남는 쌓기나무 1개

4. 입체 모양과 주사위

01
[정답]

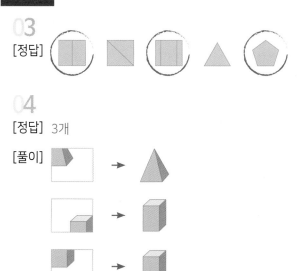

[풀이]

뿔 모양인데 둥근 부분이 없습니다.

02
[정답] ㉠

[풀이]

바라보았을 때 세모 모양이 나올 수 있는 것은 ㉠과 ㉣인데 ㉣에서는 첫 번째 와 두 번째 모양이 나올 수 없습니다.

03
[정답]

04
[정답] 3개

[풀이]

따라서, 사진에 찍힌 모양은 △, ▢, ▢의 3개 입니다.

05
[정답] ③

06
[정답]

07
[정답]

[풀이]

다음 모양을 비스듬히 자른 것입니다.

08
[정답] 나

[풀이]

마주 보는 두 눈의 수의 합이 항상 7이 됩니다. 가, 나, 다의 바닥에 있는 면의 눈의 수는 각각 7-3=4, 7-2=5, 7-4=3입니다.

09

[정답] 6

[풀이]

바닥면의 눈의 수의 합이 4이고 오른쪽 주사위의 윗면의 눈의 수가 4이므로 바닥면의 눈의 수는 1과 3입니다. 따라서 색칠된 면의 눈의 수는 6입니다.

[다른 풀이]

윗면과 바닥면의 눈의 수의 합은 7+7=14인데 바닥면의 눈의 수의 합이 4이므로 윗면의 눈의 수의 합은 10이고 색칠된 면의 눈의 수는 6입니다.

10

[정답] 4

[풀이] →

[다른 풀이]

같은 수의 눈이 있는 면을 짝수 개 겹쳤을 때는 반대쪽 면에 같은 수의 눈이 오게 되고 홀수 개 겹쳤을 때는 반대쪽 면에 합이 7이 되는 주사위 눈이 오게 됩니다. 주사위를 7개 붙였으므로 반대쪽 면에는 3과 합이 7이 되는 4가 오게 됩니다.

11

[정답] 3

[풀이]

㉠ 자리에 오면 윗면의 눈의 수는 4이고 ㉡ 자리에 오면 1과 마주 보는 눈인 6이 윗면에 오게 됩니다. ㉢자리에 오게 되면 4와 마주 보는 면이 윗면에 오게 되므로 윗면의 눈의 수는 3이 됩니다.

12

[정답] 4

[풀이]

가 자리까지 굴렸을 때 아랫면의 눈의 수 : 5

나 자리까지 굴렸을 때 아랫면의 눈의 수 : 1

다 자리까지 굴렸을 때 아랫면의 눈의 수 : 3

따라서, 다 자리까지 굴렸을 때 윗면의 눈의 수는 4입니다.

13

[정답] 20

[풀이]

주사위 전체 눈의 수의 합인 21에서 바닥면의 눈의 수를 제외하면 20입니다.

[다른 풀이]

마주 보는 면 4개의 눈의 수의 합이 7+7=14이고 윗면의 눈의 수가 6이므로 보이는 면에 있는 눈의 수의 합은 14+6=20입니다.

14

[정답] 5

[풀이]

전체 눈의 수의 합이 21인데 바닥면을 제외한 면의 눈의 수의 합이 19이므로 바닥면의 눈의 수는 21-19=2입니다. 이때, 윗면의 눈의 수는 5입니다.

[다른 풀이]

마주 보는 면 4개의 눈의 수의 합이 14이므로 윗면의 눈의 수는 19-14=5입니다.

15

[정답] 32

[풀이]

주사위 두 개에 있는 면의 눈을 모두 더하면 21+21=42입니다. 이때, 4의 마주 보는 면과 아래 주사위의 두 면의 수를 제외하면 42-3-7=32입니다.

[다른 풀이]

마주 보는 면 4개의 눈의 수의 합이 7+7=14이므로 보이는 면에 있는 눈을 모두 더하면 14+14+4=32입니다.

16

[정답] 29

[풀이]

겉으로 보이는 눈의 수의 합이 가장 작으려면 가장 큰 눈이 6이 맞닿은 면에 있어야 합니다. 따라서 전체 눈의 수의 합 42에서 6과 마주보는 두 면의 눈의 수의 합인 7을 뺍니다. 42-6-7=29

[다른 풀이]

마주 보는 두 면이 모두 4쌍이 있고 겉으로 보이는 눈의 수의 합이 가장 작으려면 윗면의 눈의 수가 1이 되어야 하므로 보이는 면에 있는 눈을 모두 더하면 14+14+1=29 입니다.

------- 표시는 밖으로 접으세요.

표시는 풀칠하세요.

▶ 바깥으로 투명 테이프 등을 붙여서
마무리하세요.

천종현수학연구소는

천종현 연구소장 아래 사고력 수학 교재를 써온 집필진으로 이루어져 있습니다. 사고력 수학을 가르치는 것으로부터 시작하여 사고력, 창의력 교재를 개발하면서 원리로부터 시작하는 단계적 학습을 중요하게 생각하는 실전에 강한 사고력 전문가 집단입니다. 원리를 이해하는 공부가 아니라 방법을 암기하는 수학 공부법에 대한 문제 인식을 가지고 아이들이 쉽고 재미있게 공부하면서도 생각하는 힘이 자라는 수학 컨텐츠를 연구하고 있습니다.

실력을 쌓는 수학 공부는 연산도 연습과 함께 원리가 중요합니다.
원리셈은 생활 속 소재와 교구 그림을 통해 쉽게 원리를 익히고, 다양한 문제로 재미있게 반복 연습할 수 있는 연산 교재입니다.

5·6세 단계

수와 수학을 처음 배우는 단계
수 읽기, 세기, 쓰기를 붙임 딱지를 활용하여 재미있
게 공부하도록 구성
매 단원의 마지막은 쉽고 재미있는 내용의 사고력 수학

6·7세 단계

수를 세어 덧셈, 뺄셈의 개념을 아는 단계
20까지의 수를 차례로 세어 덧셈, 뺄셈을 이해하고
생활 속 소재와 흥미 있는 연산 퍼즐을 통해 재미있
게 공부

7·8세 단계

한 자리 덧셈, 뺄셈을 확실히 잡아가는 단계
받아올림, 받아내림 없는 덧셈, 뺄셈 다지기와 10의
보수 학습을 통한 받아올림, 받아내림의 개념 잡기

초등1 단계

초등 1학년 단계
받아올림, 받아내림 없는 두 자리 덧셈, 뺄셈과 받
아올림, 받아내림이 있는 한 자리 덧셈, 뺄셈의 집중
연습
마지막 단원은 앱을 이용하여 시간을 재고 다른 친
구들의 기록과 비교하는 집중 연산

초등2 단계

초등 2학년 단계
두 자리 덧셈, 뺄셈과 곱셈구구 그리고, 나눗셈의 개
념 알기
마지막 단원은 앱을 이용하여 시간을 재고 다른 친
구들의 기록과 비교하는 집중 연산

초등3 단계

초등 3학년 단계
세 자리 덧셈과 뺄셈과 두/세 자리 곱셈, 나눗셈
총 6개 단원으로 그 중 2개 단원은 앱을 이용하여 시
간을 재고 다른 친구들의 기록과 비교하는 집중 연산

초등4 단계

초등 4학년 단계
큰 수의 곱셈과 나눗셈, 분수와 소수의 덧셈과 뺄셈,
자연수 혼합 계산
총 6개 단원으로 그 중 2개 단원은 앱을 이용하여 시
간을 재고 다른 친구들의 기록과 비교하는 집중 연산

초등5·6 단계

초등 5, 6학년 단계
분모가 다른 분수의 덧셈, 뺄셈, 분수와 소수의 곱셈
과 나눗셈
6학년 연산 비중이 낮은 것을 고려한 통합 연산 단계
총 6개 단원으로 그 중 2개 단원은 앱을 이용하여 시
간을 재고 다른 친구들의 기록과 비교하는 집중 연산

예비 중등 단계

초등 6학년, 중등 1학년 단계
유리수의 혼합 계산과 방정식의 계산 2권으로 중등
수학을 처음 접하는 학생들 위한 원리 중심의 연산
교재
총 6개 단원으로 그 중 2개 단원은 앱을 이용하여 시
간을 재고 다른 친구들의 기록과 비교하는 집중 연산